안개도시

이상우장편소설

명지사

안개도시

책 머리에

책 머리에

내가 이 책을 쓰기 시작할 때는 어느 신문사의 편집국 책임
자로 현장에서 뛸 때였다. 이 소설을 그때 쓰기는 했지만, 그
것을 구상하기 시작한 것은 70년대 초의 일이었다. 10여년에
걸친 작업이었다.

흔히 개발 연대라고 일컬어지는 그 무렵의 우리 사회는 건
설, 수출 등 경제 발전에 박차를 가하고 있던 시절이었다. 가
난에 허덕이던 사람들이 밥 굶는 공포에서 막 벗어나고 여기
저기 새로운 공장들이 들어서서 검은 연기를 뿜기 시작했었
다.

필자도 나라의 이러한 변화에 뿌듯한 자긍심을 가졌었다.
국민 소득이 늘어나고 편리한 전자 제품들이 쏟아졌다. 그뿐
아니라 아파트가 줄을 서서 키 자랑을 하게 되었다는 것이 마
치 복받은 나라에 태어난 행운을 내가 누리는 것 같은 착각도
했다.

그러나 어느 날 필자의 은사인 한 원로 시인을 만난 후 내
생각은 많이 달라졌다.

그는 우리 사회가 발전해 가는 것은 좋은 일이지만 '물질'과
'정신'이 균형을 이루지 않으면 머지 않아 큰 비극을 맞게 될
것이라고 경고했다. 벌써 우리 사회에는 그런 징조가 여러 곳
에서 나타난다고 했다. 그때사 필자도 우리 주변을 돌아보고
정말 엄청난 갈등이 잉태되고 있다는 느낌을 가질 수 있었다.

갑자기 닥친 물질적 풍요는 인간성을 파괴한다. 급격한 신분의 수직 상승은 그 주인공을 우스꽝스러운 광대로 만든다.

우리 주변에서 휴머니즘은 퇴색하고 출세 지상주의는 인격을 파괴했다. 자격 없는 졸부들이 부동산 붐을 타고 거들먹거렸다. 수출 지상주의는 퇴폐 문화를 무비판적으로 받아들여 사회가 병들어 갔다.

필자는 잘못되어 가는 이 갈등을 한 가정의 비극으로 옮겨 소설로 써야겠다는 생각을 했다. 개발 연대를 대표하는 기성세대인 아버지와 기득권 세력에 저항하다가 자포자기하는 한 딸의 대립을 그린 것이 이 '안개도시'이다.

추리소설의 형식을 빌린 이 소설은 1988년 어느 여성 월간지에 연재되었었다. 격려해 주는 독자도 많았지만 이의를 제기하는 독자도 많았다. 뒤에 이 소설은 다시 영화로 만들어지기도 했기 때문에 이미 내용을 알고 있는 독자도 있을 것이다.

'안개도시'란 한치 앞도 내다볼 수 없는 현대인들의 불안한 심경을 말하려고 한 것이다. 아침에 눈 뜨면 조간 신문을 보고야 깜짝깜짝 놀라는, 한치 앞을 못 보는 시대에 우리는 살고 있다.

그러나 '나'를 잃지 않는다면 안개는 물러갈 것이다.

1995년 세모에 이상우 씀

6

1
이상한 집

그 동네 사람들은 모두 그 집을 이상한 집이라고 생각했다. 이상한 집이란 의미는 시골에 있는 상여집이라든지, 서양 영화에 나오는 마귀 할멈의 집이라든지 하는 의미와는 달랐다.

그 집은 밖의 담이 어마어마하게 높기 때문에 집안이 전혀 들여다보이지 않았다.

높다란 담은 도시에서는 보기 드물게 항상 담쟁이덩굴로 뒤덮여 있었다. 담쟁이덩굴은 마치 플라스틱으로 만든 인공 잎사귀처럼 아주 규칙적으로 담을 둘러싸고 있었다.

담쟁이덩굴 가운데에 아치형의 나지막한 빨간 대문이 있었다.

그 빨간 대문은 눈부시도록 초록으로 빛나는 담쟁이덩굴과 잘 어울려 마치 아름다운 동화의 세계를 보는 듯한 모습이었다.

빨간 대문 옆에는 방문객을 식별하는 폐쇄회로 감시 텔레비전의 눈이 높게 붙어 있었다.

그뿐 아니라 주인인 표사장의 자동차가 대문 앞에 와서 헤드라이트를 껌벅이면 스르르 자동으로 문이 열렸다. 주인의 차를 알아보는 전자 감지 장치가 설치되어 있기 때문이다.

이 집을 밖에서 볼 수 있는 것은 이런 정도가 전부였다.

2층으로 지어져 있지만, 워낙 담이 높아 2층의 베란다도 밖에서는 잘 보이지 않았다.

그리고 그 집 담 안의 넓이가 얼마나 되는지도 동네 사람들은 몰랐다.

야트막한 뒷산 자락을 살짝 깔고 앉아 있는 집이라, 눈짐작으로 2, 3백 평은 좋이 되리라는 것밖에는 알 수가 없었다.

그 집 주인인 표사장은 작년에 이 동네로 이사 온 후, 한 번도 동네 사람들과 인사를 나누지 않았다.

그저 그라나다 자가용을 타고 수시로 드나드는 것이 동네 복덕방이나 미장원에서 목격될 뿐이었다.

동네에 알려진 소문으로는 어마어마하게 돈이 많은 사업가인데 무슨 사업을 하는지는 자세히 모른다는 것이다.

집안에는 젊은 부인과 부인 나이 또래의 딸이 있고, 그 외 집일을 하는 사람들이 대여섯 명 같이 산다는 것뿐이다.

젊은 부인은 드물게 보는 미인으로 행동거지가 얌전하고 동네 사람과 한 번도 말을 나눈 일은 없지만, 만나는 사람마다 미소와 인사를 잊지 않는 상냥한 사람이라는 소문이었다.

그 이상한 집에 이상한 일이 마침내 생겼다.

그 집 빨간 대문 앞에 경찰차가 두 대나 와서 서고 정복을 입은 경찰관이 대문을 지키게 된 것이다.

그 집안에서 살인사건이 발생했다. 아니, 살인사건인지 자살 사건인지는 모르지만 그 집의 예쁜 사장 부인이 죽은 것이다.

"그래, 시체를 제일 먼저 발견한 사람은 정혁태라는 대학생이란 말이지?"

추경감이 초동수사를 마친 강형사를 보고 물었다.

"예, 그렇습니다. 112에 제일 먼저 신고한 사람도 정혁태입니다."

강형사가 뒷짐을 진 채 추경감 앞을 왔다갔다하면서 말했다.

추경감은 너주레한 양복 주머니에서 담배를 꺼내 물고는 지포 라이터로 불을 붙이려고 몇 번이나 켜댔다. 그러나 기름이 떨어졌는지 지포 라이터는 좀처럼 불이 켜지지 않았다.

"경감님, 제발 그 라이터 하나 개비하십쇼."

강형사가 재빨리 가스 라이터로 불을 켜댔다.

주름투성이 얼굴에 빙그레 미소를 지으며 추경감은 라이터 뚜껑을 얌전히 닫은 뒤 호주머니에 도로 넣었다.

"그래, 그 청년은 어디로 갔나?"

추경감이 물었다.

"저쪽 응접실에서 서에서 나온 사람의 질문을 받고 있습니다."

"몇 시에 발견했다는 거야?"

"아침 10시쯤 됐다고 하더군요."

"시체는 어떻게 됐나?"

"대학병원 영안실로 옮겼는데, 부검을 위해 검사 지휘를 요청했답니다."

강형사가 대답했다. 강형사는 여전히 뒷짐을 지고 추경감 앞을 왔다갔다하면서 대답했다. 얼른 보기엔 강형사가 추경감한테 보고를 받는 상관처럼 보였다.

현장에 먼저 도착한 것은 강형사였고, 기원에서 담배내기 바둑을 두고 있던 추경감은 뒤늦게 연락을 받고 달려온 것이다.

강형사가 이 집에 도착했을 때는 현장이 잘 보존돼 있었다.

이 집 주부인 김명주 여인은 수영복 차림으로 풀장 옆 풀밭에 똑바로 누워 있었다. 두 손을 배 위에 올려 놓고 마치 잠자는 것처럼 죽어 있었다. 검은색 원피스 수영복에는 붉은색으로 큼직한 꽃무늬가 있었다. 붉은색과 검은 바탕이 어울려 수영복은 섬뜩하면서도 고상한 품위를 풍기는 것 같았다.

곱고 흰 얼굴은 마치 잠든 것 같았고 화장을 하지 않은 얇은 입술이 창백하게 보일 뿐이었다. 머리와 수영복은 아직 물에 젖어 있었다. 방금 풀에서 끄집어내 놓은 상태였다.

정혁태가 풀장 위에 엎어져 떠 있는 김명주를 발견하고 황급히 풀에 뛰어들어 건졌다고 했다. 그러나 그때는 이미 죽은 지 오래 되어 물에 그냥 떠 있는 상태였다는 것이다.

"외상 같은 것 없었나?"

추경감이 물었다.

"자세한 것은 검사를 해봐야 알겠지만, 우선 겉으로 보기에는 아무런 상처가 없었다고 합니다."

강형사가 말했다.

"그 정혁태라는 청년은 이 집과 무슨 관계가 있는 사람이야?"

"자세히 모르겠습니다만, 이 집 딸의 친구인가 보이프렌드인가 하는 학생이랍니다."

"딸?"

추경감이 담배연기를 들이삼켰다가 기침을 해대며 놀란 듯이 물었다.

"예, 대학에 다닌다던가? 아니, 대학원에 다닌다고 한 것 같은데요?"

강형사가 자신없이 말했다.

"저기 죽은 여인의 딸이란 말이야?"

추경감의 눈이 둥그래졌다.

"예, 그런 셈이죠. 죽은 김명주는 친엄마가 아니고 계모랍니다. 딸보다 두 살 위라던가?"

강형사가 또 별로 자신없는 투로 말했다.

"그 딸은 어딜 갔나?"

"저쪽 거실에 있습니다."

"이 집 주인은 어딜 갔나?"

"표사장이란 사람이 주인인데……."

"이름이 뭐야?"

추경감이 말을 가로막았다.

"표범이 아니고 표준범이라고 합니다. 표준범은 지금 연락이 안 됩니다."

강형사가 미소를 띠며 말을 계속했다.

"무슨 기계류 오퍼상을 한다는데 연락이 안 돼 아직 만나

보지 못했습니다."

"그래? 김명주 여인은 왜 죽은 거야? 자살한 거야, 아니면 수영하다 심장마비로 죽은 거야?"

추경감이 엉뚱한 이야기를 했다. 타살되었다고 신고하는 바람에 수사반이 동원되고 법석을 했는데, 이제 와서 자살이냐 사고사냐 하고 묻는 것이 강형사한테는 이해가 안 갔다.

그러나 강형사가 곰곰이 생각해 보니 추경감의 말이 전혀 틀린 것도 아니었다.

타살되었다는 아무 심증도 증거도 없이, 다만 신고자가 살인사건났다고 하는 바람에 그쪽으로 우선 밀고 있는 것 아닌가?

처음 시체를 발견한 사람은 당황한 나머지 살인사건이라고 엉겁결에 신고할 수도 있다. 그러나 수사관은 거기에 선입견을 가지고 덤벼들어서는 안 된다는 것을 뒤늦게 강형사는 생각해냈다.

김명주의 죽음은 그러나 몇 가지 수상한 점이 없는 것은 아니었다.

지금이 한여름이긴 하지만 아침 9시께부터 풀장에서 수영복을 입고 혼자 수영을 하고 있었다는 것이 아무래도 자연스럽지 못했다.

그 다음 오늘 아침에는 집안에서 아무도 김명주 여인을 본 사람이 없다는 것이다. 남편인 표준범 사장의 진술을 아직 받지 못했지만, 나머지 이 집 식구들은 모두 아침부터 시체로 발견될 때까지 김명주를 보지 못했다는 것이다.

이 집의 풀장은 널찍한 정원의 숲속에 있기 때문에 쉽사리

눈에 띄는 장소가 아니었다.

그렇다면 어젯밤에 혼자 수영을 하다가 죽은 뒤 아침에 발견될 수도 있는 것이다. 그러나 집안 식구 중의 한 사람이 밤에 없어져도 아무도 찾지 않을 수 있단 말인가?

추경감은 이것저것을 생각하면서 이 집의 거실로 올라갔다.

어마어마하게 넓은 거실은 추경감의 눈을 휘둥그렇게 만들었다.

사방 벽면은 그림과 조각 같은 걸로 장식되어 있고, 맞은편 높은 벽엔 서구의 귀족 집에서나 장식됨직한 박제된 사슴의 머리가 달려 있었다.

두 개의 호화로운 응접 세트가 놓여 있고, 그중에 주인이 쓰는 듯한 소파에는 호랑이 가죽이 깔려 있었다.

바닥은 진홍빛의 카핏으로 덮여 있고 여기저기 고급 가구들이 놓여 있었다.

추경감은 혹시 이 호화로운 거실을 더럽힐세라 조심스럽게 올라섰다.

그때 거실의 한 작은 소파에 다리를 꼬고 앉아 있는 젊은 여자가 눈에 띄었다. 생머리를 길게 늘어뜨리고 옥빛 블라우스에 흰 스커트를 받쳐 입고 있는 젊은 여자는 첫눈에 이 집 딸인 표성희라고 추경감은 생각했다.

"실례합니다."

추경감이 목례를 하면서 웃음을 띤 채 엉거주춤 올라섰다.

성희는 그냥 흘깃 보기만 하고는 꼼짝도 하지 않았다. 아무런 표정도 짓지 않은 갸름한 얼굴이 썩 미인 축에 든다고 추경감은 생각했다.

"저어, 저하고 얘기 좀 할까요?"

추경감은 멋적은 듯 왼손으로 뒷덜미를 슬슬 긁으며 거실 끝에 있는 소파에 앉았다.

성희는 역시 아무 대꾸도 않고 그대로 앉아 있었다.

"성희양, 우리 반장님이셔."

그때 강형사가 언제 왔는지 거실로 들어와 어색한 분위기를 누그러뜨렸다.

"안녕하세요. 그런데 남의 집에 와서 왜 이렇게 법석들이죠? 그 여자를 누가 죽이기라도 했다는 말입니까?"

성희의 입에서는 뜻밖에도 날카로운 빈정거림이 튀어나왔다.

우선 아무리 계모이긴 하지만 죽은 어머니를 그 여자라고 말하는 것부터 보통 일이 아니었다.

"후후후, 이거 미안합니다. 꼭 피살되었다고 생각하는 사람은 아무도 없습니다. 다만 왜 죽었나 하는 것은 밝힐 필요가 있는 것입니다. 너무 오해하지 마십시오."

추경감이 미안하다는 듯이, 어찌 보면 비굴한 것 같은 웃음을 흘리며 말했다.

"저어, 아가씨, 몇 가지만 물어보겠습니다."

추경감은 여전히 주눅들린 사람처럼 조심스럽게 말했다. 강형사는 추경감의 그런 당당하지 못한 태도가 언제나 마음에 들지 않았다. 그러나 추경감은 그렇게 비실비실하면서도 자기할 일은 언제나 다 하고 물어볼 것은 다 물어본다는 것을 강형사도 알고 있었다.

"아버님한테는 연락을 했나요?"

"아마 최씨가 했을 거예요."

"최씨가 누굽니까?"

"최병호라고 표사장의 개인 비서 비슷한 사람입니다. 이 집
에서 집사 같은 일을 하는 사람이죠."

강형사가 대신 대답했다.

"정혁태씨는 몇 시쯤 이 집에 왔습니까?"

"아마 아홉시 반쯤 됐을 겁니다."

이번에도 강형사가 대답했다.

"무엇 때문에 아침부터 이 집에 왔습니까?"

"나하고 볼링장 가기로 약속했었거든요."

표성희가 처음으로 대답했다.

"정혁태와는 어떤 관계입니까?"

표성희는 별 아니꼬운 질문을 다 받는다는 표정으로 추경감
의 얼굴을 빤히 쳐다보다가 쏘아붙였다.

"보이프렌드예요. 왜, 안 됩니까, 형사 나리님?"

추경감은 성희가 필요 이상으로 자기한테 반감을 가지고 있
다고 생각했다. 그것은 다시 말하면 죽은 계모에 대한 어떤 미
묘한 반감이 그렇게 표현되는 것이라고 추경감은 생각했다.

"천만에요. 안 될 턱이 있습니까? 그런데 집에 들어오자마
자 풀장에는 뭣 때문에 갔습니까?"

"그건 나도 몰라요."

"대문은 누가 열어주었습니까?"

"내가 열었어요. 얼굴을 보니까 혁태라서……."

성희는 턱으로 벽의 TV 화면을 가리키며 말했다. 대문 밖에
서 있는 사람의 얼굴이 나타나는 폐쇄회로의 TV 화면이었다.

"다른 곳에도 저런 감시 카메라가 있나요?"

추경감은 일어서서 TV를 신기한 듯 만져 보며 물었다.

"최씨 방에도 있어요."

"최병호씨 말입니까?"

성희가 고개를 끄덕였다.

"어머니를 제일 마지막 본 게 언젭니까?"

"아마 풀밭에서요."

"아니, 죽은 뒤에 말고……."

"며칠 됐나 봐요. 잘 기억이 안 나요."

성희가 짜증스럽게 말했다.

"아니, 한 집에 살면서 며칠씩 못 본단 말입니까?"

추경감이 어이없다는 듯이 물었다.

"한 집에 산다고 매일 봐야 할 이유가 있나요?"

"식사도 함께 안 합니까?"

"난 요새 다이어트 중이라서 식당에도 잘 안 가요."

하긴 이처럼 어머어마한 집이라면 한 집 식구라도 안 보고 지낼 수가 있을 것 같았다.

조그만 단독 주택이나 작은 평수의 아파트에 여러 식구들이 모여 복닥거리는 서민의 집과는 전혀 달랐다. 식당이 어디 있는지 추경감보고 찾으라면 한참 걸릴 것 같았다.

"이 집에는 누구누구 삽니까?"

"이 집 주인인 표사장……."

강형사가 얼른 대답을 하려다가 추경감이 흘깃 보자 입을 다물었다.

표성희가 한참 만에 대답했다.

"아빠하고, 그 여자하고, 저하고 그렇게 살아요. 다른 식구는 최씨, 운전기사 박씨, 그리고 일하는 아줌마, 아줌마 일을 거드는 꼭지, 그렇게 네 사람이에요."

"꼭지?"

"시골서 가정부로 올라온 열댓 된 계집아이입니다."

강형사가 대답했다.

"그럼 풀장이나 정원은 누가 돌봅니까?"

"그건 따로 돌보는 사람이 있어요. 이틀에 한 번꼴로 출근해서 일을 봐주고 가는 남자 파출부 같은 사람이 있걸랑요. 남자 파출부, 호호호."

성희는 자기가 한 말이 뭐가 그렇게 신기한지 깔깔거리며 웃었다.

"돌아가신 어머니는 몇 살이었습니까?"

"스물여덟입니다."

이번에도 강형사가 대답했다. 추경감이 눈을 흘기자, 강형사는 혀를 날름 내보이며 멋적어했다.

"아가씨는 대학에 다니시나요?"

추경감이 묻자, 성희는 이번에도 못마땅한 표정을 지었다.

"그래요, 안 되나요? 대학원에 다녀요. 미술사를 공부해요. 그것도 안 되나요?"

성희가 시비조로 나오는 바람에, 추경감은 더 이상 묻지를 못했다.

"정혁태를 좀 만나 볼까?"

추경감이 슬그머니 일어서서 옆방으로 갔다.

정혁태는 평범한 청년이었다. 거무스름하게 탄 얼굴에 입술

이 두툼하고 서글서글한 눈매가 사나이답게 생겼다고 추경감
은 생각했다. 보통 정도의 키에 어깨가 딱 벌어진 게 다부져
보였다.

"표성희와는 친구 사이라고?"

추경감이 묻자, 정혁태는 그냥 미소만 띠어 보였다.

"이봐 학생, 요즘 보이프렌드니 걸프렌드니 하는 사이는 어
떤 사이를 말하는 건가?"

추경감이 분위기에 맞지 않는 엉뚱한 질문을 했다.

"보이프렌드가 보이프렌드지 뭐 딴 의미가 있겠습니까?"

"가령 그냥 친구와 애인의 중간쯤 된다든지……."

"허허허, 재미있는 형사 아저씨도 다 보겠군요. 하하하."

정혁태는 너털웃음을 터뜨렸다.

"그건 나중에 듣기로 하고……. 저어, 정군이 풀장에는 뭣
때문에 갔었지?"

"왜요, 그게 뭐 잘못됐나요? 성희가 옷을 입고 있는 동안
그냥 무료해서 집을 한 바퀴 돌다가 풀에 뭐가 떠 있는 것
같아 가까이 가본 겁니다."

"그때 김명주씨는 엎어진 채 풀에 떠 있었나요?"

"그랬어요. 난 처음엔 그냥 수영하는 줄 알고 한참 보고 있
었죠. 그런데 꼼짝을 하지 않잖아요. 그래서 불러 보았지만,
대답이 없었어요."

"뭐라고 불렀나요?"

여자 친구의 젊은 어머니를 뭐라고 불렀을까 하고 추경감은
이상한 호기심이 발동했다.

"이봐요, 하고 불렀죠. 그래도 대답이 없어 죽었구나 하는

생각이 들더군요. 뛰어들어가 안고 나왔지만 이미 싸늘한
시체였어요."
"전에도 시체를 만져 본 일 있나요?"
강형사가 물었다.
"아뇨."
"그런데 어떻게 죽었다는 것을 금방 알았을까?"
"예, 아니 그럼 내가 죽은 사람과 산 사람도 구별하지 못한
다는 말입니까?"
"기절해 있을 수도 있다는 말이지."
추경감이 말했다.
"기절한 게 아니란 말입니다. 시체가 벌써 싸늘해졌더란 말
입니다. 나는 직감적으로 누가 죽였다는 생각이 번개처럼
머리에 스쳐 가더군요."
"어째서 누가 죽였다고 생각했나?"
"호화로운 저택의 풀장, 그 집의 젊은 여자 상속자가 풀장
에서 죽어 있다. 그렇다면 이것은 살인사건이다라는 생각이
문득 들더란 말입니다. 그런 추리소설을 많이 봤거든요."
"학생은 몇 살인가?"
"스물여덟입니다. 대학 4학년이에요. 군대 갔다 와서 복학
했거든요."
"전공은 뭔가?"
"법학입니다."
"성희양과는 언제부터 사귀었나?"
추경감이 본격적인 질문을 시작했다.
"한 1년쯤 돼요. 작년 여름 해수욕장에 같이 갈 때부터 사

귀기 시작했으니까요.”

“이 집에 자주 왔나?”

“가끔, 1주일에 한 번쯤 오죠. 정원 숲속에서 책도 읽고, 풀에서 수영도 하고, 또 탁구도 치고…….”

“풀의 깊이는 얼마나 되나?”

“제가 들어가면 가장 깊은 곳이 가슴팍 정도 와요. 어른이 빠져 죽을 깊이는 아니랍니다. 더구나 명주씨는 수영이 능숙한데…….”

“명주씨?”

추경감이 정혁태를 날카롭게 쏘아봤다.

여자 애인의 어머니를 자기 여자 친구 이름 부르듯이 무심코 부르는 것이 이상했다.

더구나 어떻게 해서 여자 친구 어머니의 이름을 외고 있었으며, 입에서 서슴 없이 나올 정도로 낯익어 있었단 말인가?

“명주씨라니?”

추경감이 다잡아 물었다.

“아아, 예, 성희씨가 늘 그렇게 불러서 그만……. 미안합니다.”

정혁태는 실수한 것을 알고 당황해했다.

“성희양이 자기 어머니를 늘 그렇게 불렀단 말인가?”

“예, 물론 저하고 둘이 있을 때만 그랬었죠. 성희는 그 여자를 엄마로 인정하지 않았거든요.”

“왜 그랬나?”

“그야 맘에 안 드니까 그랬겠죠.”

“성희양의 생모는 돌아가셨나?”

추경감이 다시 물었다.

"아뇨, 부산 어디에서 혼자 살고 있다고만 들었어요. 성희 아버지와 3년 전에 이혼하고는 통 소식을 끊고 있다고 하더 군요."

"왜 이혼을 했나?"

"참, 형사 아저씨도? 제가 그걸 어떻게 압니까?"

하긴 그렇다.

"아까 죽은 김명주씨가 수영을 잘한다고 했는데, 그건 어떻 게 알았나?"

추경감이 물었다.

"고등학교 다닐 때 싱크로나이즈드 팀에 있었거든요."

"고등학교? 자네는 그걸 어떻게 알고 있나?"

추경감이 다시 말꼬리를 잡고 늘어졌다.

"그야 들어서 알죠."

"어디서 들었나?"

"성희한테 들었죠."

그때였다.

"거짓말 말아요. 난 그런 것 몰라요."

응접실에서 이 방으로 들어오던 성희가 팔짱을 낀 채 쏘아 붙였다.

차가운 눈매가 더욱 차게 느껴졌다.

2
화려한 침실

추경감은 요즘 젊은이의 우정이나 애증을 이해하기 어렵다고 혼자 생각했다.

정혁태와 표성희의 냉랭하고 금속성이 튀기는 그 날카로운 관계, 그러면서도 서로는 서로를 필요로 하는 친구인지 애인인지의 알쏭달쏭한 관계. 추경감은 그런 지극히 현실적인 것 같기도 하고, 어떻게 보면 환상적인 것 같기도 한 그들의 관계가 잘 이해되지 않았다.

어쨌든 정혁태와 표성희는 그들의 태도로 보아 죽은 김명주와 원만한 관계가 아니었던 것을 느낄 수 있었다.

어쩌면 김명주의 죽음과 그 두 젊은 남녀는 깊은 관계가 있는지도 모를 일이었다.

"저…… 집을 구경해도 괜찮겠습니까?"

정혁태와 표성희의 얼굴을 번갈아 쳐다보던 추경감이 아무에게도 아닌 질문을 하며 일어섰다.

"꼭지야!"

그때 성희가 바깥을 향해 큰 소리로 가정부를 불렀다.

"예에."

금방 겁에 질려 토끼 눈을 한 열대여섯 된 소녀가 뛰어왔다. 짧은 앞치마를 두르고 있었다. 동그스름한 얼굴이 착하고 순하게 보였다.

"이 형사 나으리께서 집 수색을 하시겠다니 한 군데도 빼지 말고 잘 안내해 드려."

성희가 또록또록한 말씨로 말했다.

"누가 수색을 한다고 했습니까? 천만에요. 집이 하도 좋아서 구경이나 좀 하자는 것뿐인데……."

추경감이 멋적은 듯 애매한 웃음을 흘렸다.

"뭐하니, 꼭지야! 빨리 안내해 드려!"

성희는 추경감을 완전히 무시한 채 쏘아붙이고는 획 돌아서서 나가 버렸다.

꼭지만 겁에 질려 울 듯한 표정으로 서서 추경감을 쳐다보았다.

"안방이 어디니? 거기부터 가볼까?"

추경감이 앞장섰다. 꼭지가 뒤따라오며 응접실 왼쪽 끝의 문을 가리켰다.

문짝 하나도 예사롭지가 않았다. 눈이 부시도록 반짝이는 실린더에 문짝 전체가 조각품처럼 장식되어 있었다. 로코코 시대의 정교하고 아름다운 무늬 같았다.

추경감은 방문을 열고 안으로 들어섰다.

엄청나게 넓은 방에 호화로운 장식이 사방에 놓여 있었다.

안쪽 열두 폭 병풍 앞에는 정성드려 수놓은 보료가 깔려 있었다. 병풍의 그림은 만화에서 많이 본 듯한 풍경이었다.

휘황하게 자개로 장식된 장이며 화장대, 문갑 등이 모두 눈이 부셨다. 얼른 보기에는 옛날 대가집 안방처럼 보이기도 했다.

그러나 방 한켠에는 이와 전혀 어울리지 않는 소파가 두 개 놓여 있고, 그 옆에는 흔들의자까지 하나 놓여 있었다. 흔들의자 앞에는 24인치도 더 됨직한 TV 수상기며 어마어마한 음향 기기들이 놓여 있었다.

상상을 초월한 큰 방에 한실과 양실의 장식이 같이 있는 그런 이상한 방이었다. 추경감의 눈에는 전혀 어울리지 않는 풍경일 수밖에 없었다.

추경감은 유치하기도 하고, 한편으로는 신기하기도 한 방안 풍경을 보다가 흔들의자 뒤에 있는 문을 열어보았다.

"여기는 뭘 하는 곳이냐?"

꼭지를 보고 물었다.

"거긴 잠자는 곳인데요. 들어가시면 혼나요."

꼭지가 깜짝 놀라 추경감의 소매를 잡았다.

"누가 있니?"

"아무도 없을 거예요. 나도 한 번도 들어가 본 일이 없거든요."

꼭지는 혼난다고 하면서도 호기심이 가득한 눈으로 슬그머니 안을 들여다보았다.

추경감이 안으로 들어섰다.

깜깜했다. 창이 없는 방인 모양이었다. 입구가 이 안방을 거쳐서만 들어가게 되어 있는 침실인 것 같았다. 추경감이 벽을 더듬어 스위치를 누르려고 방안으로 한 발 들어서자, 저절로 불이 켜졌다.

불이 켜지자 눈앞에는 휘황한 모습이 나타났다.

맞은편 정면에 핑크색 커버로 덮인 더블 베드가 눈을 황홀하게 했다. 침대 위로는 호화로운 장식이 천장에서부터 너울처럼 내려와 있었다. 옆에는 비너스상보다도 훨씬 더 에로틱한 나체 조각이 요염한 포즈로 서 있었다. 핑크빛 불빛을 받아 대리석 피부가 산 사람처럼 부드럽게 보였다.

그리고 황금빛으로 조각된 화장대가 큰 거울을 달고 그 옆에 있었다.

추경감은 호기심에 찬 눈을 번뜩이며 침대 곁으로 가보았다. 침대 머리맡에는 서랍이 여러 개 달린 침대 장식이 손에 닿을 위치에 놓여 있었다. 그 곁에는 전화기며 여러 가지 스위치 종류가 붙어 있었다.

침대에 누워서도 텔레비전, VTR이며 전축을 컨트롤할 수 있는 장치가 다 되어 있었다. 조명도 조절할 수 있게 되어 있었다.

추경감이 난생 처음 보는 희한한 장치들도 많았다.

"이건 뭐냐?"

추경감을 따라 들어와 눈이 휘둥그래진 채 이것저것 구경하는 꼭지를 보고, 추경감이 물었다. 추경감이 물어본 것은 벽에 있는 또 하나의 문이었다.

"몰라요. 자꾸 만지면 혼나요."

꼭지는 겁에 질렸지만 호기심에 가득 찬 눈이었다. 좀 열어 보았으면 하는 눈치였다.

추경감이 그 문을 열었다. 그곳은 옷을 갈아입는 갱의실인 동시에 옷장이었다. 보통 집의 안방보다 훨씬 큰 갱의실에는 여자 옷이 수백 벌이나 걸려 있었다. 핸드백이며 구두들도 많았다. 추경감은 이멜다 여사의 창고에서 이런 장면이 발견됐다는 신문 기사를 읽은 기억이 났다.

'정말 어마어마한 사람들이구나!'

추경감은 이렇게 생각하며 얼른 문을 닫았다.

그리고 이번엔 침대 옆에 붙어 있는 조그만 도어를 열어보았다.

그곳은 욕실 겸 화장실이었다.

가운데 흰 대리석으로 만든 큼직한 욕조가 놓여 있고, 바닥은 조각된 타일이 절반, 붉은 카펫이 절반, 그렇게 깔려 있었다. 사우나며 냉온탕 보조 욕조까지 붙어 있었다.

"아저씨, 저거……."

꼭지가 떨리는 목소리로 천장을 가리켰다.

추경감이 쳐다보니 거기는 커다란 유리창 같은 게 두 개가 보였다. 얼른 보기에는 유리창 같은데 자세히 보니 텔레비전 화면이 천장에서 아래로 향해 붙어 있었다.

그 위치로 보아 욕조에 누워서 천장의 TV 화면을 즐길 수 있게 만든 장치였다.

"흠!"

추경감은 감탄이 나오지 않을 수가 없었다.

곁에 있는 변기 옆에는 전화기가 벽에 걸려 있었다. 목욕탕에 텔레비전, 전화기가 있는 집은 말로도 들어본 적이 없었다.

서울 시내에 이런 호화스럽기 짝이 없는 어마어마한 집이 있는 줄은 정말 까맣게 몰랐다.

추경감은 얼른 그 방을 나와 버렸다.

"이쪽은 식당이에요."

꼭지가 안내하는 대로 식당에 들어가 보았다. 이곳은 무슨 외국의 호텔 식당에나 온 것 같았다. 휘황찬란한 무늬로 된 그릇이며 장식들이 사방을 둘러싸고 있었다.

아래층 이곳저곳을 대강 살펴보는 데도 반 시간은 걸린 것 같았다.

"2층에 가보실래요?"

꼭지가 긴장이 풀어진 듯 생긋이 웃으며 말했다.

"그러자꾸나."

"이쪽으로 오세요."

꼭지를 따라 거실 한편으로 갔다. 거기에도 계단 대신 에스컬레이터가 놓여 있었다. 사파이어 색깔의 카핏이 깔린 에스컬레이터는 추경감이 올라서자 스르르 2층으로 날라 주었다. 가정집에 에스컬레이터가 설치돼 있는 것은 추경감도 처음 보았다.

조금 전부터 벌어진 입이 다물어지지가 않았다.

2층의 거실도 으리으리한 장식품으로 가득 차 있었다. 양쪽 벽에는 유명한 동양화가의 낙관이 찍힌 그림이 즐비하게 전시회 열 듯 걸려 있었다. 한쪽 벽에는 책이 가득 꽂혀 있는데 모두가 영어나 불어 혹은 일본어로 된 책들이었다.

추경감은 이 집 표사장이 굉장한 학식가라고 생각되었다.

추경감은 2층 거실을 한 바퀴 빙 돌고는 구석에 있는 방문을 무심코 열어보다가 깜짝 놀랐다.

"앗! 이거, 시……실례했습니다."

그 방에는 뜻밖에도 성희와 정혁태가 있었다. 성희의 방인 모양인데, 그들은 그냥 있는 것이 아니라 서로 포옹을 한 채 나란히 누워 있었던 것이다.

그들은 누운 채로 흘깃 추경감을 쳐다보고도 별로 놀라운 기색이 없었다.

"노크도 할 줄 모르세요?"

성희가 쏘아붙였다.

그러나 포옹한 자세는 풀지도 않고 그대로 누운 채였다.

"미, 미안합니다."

추경감은 얼른 문을 닫았다. 자기가 오히려 무안을 당한 듯 얼굴이 화끈 달아올랐다.

'세대 차이라는 거지, 세대 차이…….'

추경감은 혼잣말로 중얼거렸다. 자기 세대에서나 자기가 젊었을 때는 도저히 상상도 할 수 없는 행동이었다.

아무리 계모라 하지만, 어머니가 돌아가신 지 몇 시간도 안 된 집에서 그 딸이 외간 남자와 몸을 맞대고 비비댈 수가 있다니…….

더구나 대낮부터 처녀가 그런 짓을 벌이고도 눈곱만큼도 부끄러워하지 않는다는 것이 도저히 이해가 안 되었다.

추경감은 이해가 안 되는 정도가 아니라 젊은 세대의 그런 행동에 섬뜩함을 느낄 정도였다.

추경감은 허둥지둥 2층을 내려왔다.

"무슨 단서라도 찾았습니까?"

아래층 거실에서 담배만 피워대던 강형사가 물었다.

"별로……."

추경감은 괜히 강형사 보기도 민망해서 어물어물하며 밖으로 나와 버렸다.

3
남편의 알리바이

김명주 여인의 사인은 익사로 밝혀졌다.

익사 시간은 새벽 2시에서 3시쯤으로 밝혀졌다. 그리고 위에서는 소량의 알콜 성분과 수면제가 검출되었다.

"그렇다면 술과 수면제를 먹고 수영을 하다가 빠져 죽었다는 이야기인데…….."

추경감이 이상하다는 듯이 고개를 몇 번이나 갸웃거렸다.

"더구나 가정 주부가 새벽 2시에 수영복을 입고 풀장에 나가서 수영을 한다? 이봐, 강형사. 그런 일이 있을 수 있을까?"

"말도 안 되지요. 더구나 싱크로나이즈드 선수였다면 물 속을 자기 침대처럼 여기는 사람들인데……. 그런 여자가 물에 빠져 죽어요? 더구나 한 길도 안 되는 얕은 물에서 말입니다. 이건 분명히 타살입니다. 술이나 수면제를 먹인 뒤 풀

로 데려가 머리를 물 속에 박고 못 나오게 한 것입니다. 그
렇지 않습니까? 반장님은 어떻게 생각하세요?"

추경감은 담배연기만 계속 내뿜다가 입을 열었다.

"도대체 수영복을 무엇 때문에 밤중에 입고 있었단 말인
가?"

"그야 죽인 뒤에 익사로 가장하기 위해 수영복을 가져다 입
힐 수도 있는 것 아닙니까?"

"그렇다면 밤중에 김명주를 물에 처넣어 죽인 뒤 수영복을
갖다 입히고 그대로 물에 던져두었다는 결론인데……. 새벽
2시나 3시에 김명주를 데리고 풀장에 갈 수 있는 사람은 누
굴까?"

"그야 같이 자는 남편인 표사장밖에 더 있겠습니까?"

강형사가 뻔한 일이란 듯이 말했다. 그리고 뒤이어 열을 올
리며 떠들었다.

"나 그 표사장인지 하는 녀석 어쩐지 맘에 들지 않더라니
까. 그 녀석 눈을 우선 보십시오. 음흉한 웃음에다, 음흉한
눈, 범죄형 인간이 있다면 그놈 같은 놈을 말하는 것일 겁
니다."

강형사가 떠들어댔다.

"사람을 꼭 그렇게만 보아서는 못써. 어쨌든 표사장을 다시
만나 보는 게 좋겠군."

추경감이 자리에서 벌떡 일어섰다.

"이리로 오라고 할까요?"

"사업에 바쁜 사람을 경찰서로 계속 오너라 가거라 하는 것
은 실례야. 우리가 표사장 회사로 찾아가지."

추경감이 앞장서서 나가는 바람에 강형사도 할 수 없이 따라나갔다.

처음 김명주 여인의 변시체가 발견되던 날, 표준범 사장은 저녁 무렵이 되어 집으로 돌아왔다. 독일서 온 사람과 이리 공단에 갔다가 늦게 연락을 받고 허겁지겁 달려왔다는 것이다.

얼마나 당황하고 슬퍼하는지 옆에서 보는 사람이 측은할 정도였다. 젊은 아내를 얼마나 끔찍이 사랑했나 하는 것을 처음 보는 사람도 알 만할 정도였다.

"그놈이 내숭을 떠는 겁니다. 저 눈물 짜는 모습을 보십시오. 내숭 떠는 짓 아닙니까?"

그날 표사장의 모습을 보고 있던 강형사는 추경감의 귀에 대고 계속 이렇게 터무니없는 주장을 했었다.

그러나 추경감은 표사장이 진실로 슬퍼한다고 생각했었다.

그러면서도 추경감은 표사장에 대해 몇 가지 의문을 가지고 있었다.

우선 그의 이력이 불투명한 점이다.

외국인을 상대로 하는 기계류 오퍼상의 사장이고 이곳저곳의 꽤 많은 부동산을 가지고 있는 점 등으로 보아 상당한 집안의 출신이거나 상당한 학벌의 소유자일지 모른다고 생각했었다.

그러나 표사장은 시골서 겨우 국민학교를 나온 뒤, 이곳저곳을 떠돌아다니다가 스무 살이 갓 넘었을 때 이혼한 여인과 결혼한 걸로 알려져 있었다. 그 뒤의 행적은 아직 캐지 못했던 것이다. 그러던 차에 갑자기 부자가 되어 사장으로 나타난 것이다.

어떻게 해서 갑자기 부자가 되었는가 하는 것이 첫번째 의문점이었다. 두번째는 국민학교밖에 못 나온 표사장이 전문대학까지 나온 굉장한 미인인 김명주와 어떻게 결혼을 하게 되었나 하는 것이었다. 표사장의 2층 응접실 벽에 가득 꽂혀 있던 일어, 불어, 영어 서적들은 모두가 장식용이었고, 표사장은 한 자도 읽지 못한다는 것을 추경감은 뒤늦게야 알았다.

"반장님, 다 왔습니다."

추경감이 골똘히 생각에 잠겨 있을 때 차가 덜컥 멎자, 강형사가 말했다.

두 사람은 북창동 골목에 있는 8층짜리 빌딩으로 들어갔다. 표사장 소유의 건물이기도 하고, 표사장의 사무실이 있는 곳이기도 했다.

"어서 오십시오, 경감님."

표사장은 사장실 소파에 앉아 무슨 서류를 열심히 뒤적이다가 두 사람을 반갑게 맞이했다.

"바쁜데 방해가 된 것은 아닌지요?"

추경감이 맞은편 소파에 앉으면서 말을 건넸다. 강형사는 표사장을 거들떠보지도 않고 방안의 이곳저곳을 살피고 있었다.

"그래, 제 아내 일 때문에 오셨습니까?"

표사장이 약간 얼굴을 찡그리며 말했다. 조금 전의 반가워하던 태도와는 전혀 딴판이었다.

"예, 실은……."

추경감이 미안해하면서 담배를 꺼내 물고 그 고물 지포 라이터를 호주머니에서 꺼내 들었다.

"그걸 아직도 가지고 계시군요. 어지간합니다."

표사장이 라이터를 켜댔다. 표사장 집에서 추경감을 처음 만나던 날 지포 라이터의 성능을 표사장은 눈여겨보았던 모양이다.

"무슨 말씀인지 간단히 끝냅시다. 4시에 국회의원 한 사람과 약속이 있어서……."

표사장은 묻지도 않는 말을 먼저 꺼냈다.

"예, 알겠습니다. 그날 저녁 말입니다…… 그러니까……."

추경감이 머리를 긁적이며 말을 꺼냈다.

"그날 저녁이라뇨?"

"저어, 사모님께서 돌아가시기 전날 저녁 말입니다."

"예, 그래서요?"

표사장이 다시 불쾌하단 듯이 추경감을 쳐다보았다.

"그날 저녁 일을 좀 알고 싶어서입니다. 사모님이 돌아가신 시간이 그날 밤 2시에서 3시 사이로 되어 있거든요."

"뭐라구요?"

표사장이 입가에 비웃음을 흘리며 말했다.

"밤중 2시나 3시에 수영복 입고 수영하러 풀에 가는 사람이 어디 있습니까?"

"글쎄요, 그 점을 우리도 이상하게 생각합니다."

"어느 의사가 사망 시간을 추정했는지 모르지만 말도 안 되는 소리입니다. 그런 얘기 하시려거든 썩 나가시오."

표사장의 언성이 높아졌다.

"그걸 뭐 따지자는 것은 아닙니다. 다만 그날 저녁 사장님이 사모님을 마지막 본 것은 몇 시쯤이었으며, 침실에 들어가신 것은…… 이거 미안합니다.”

추경감이 정말 미안한 얼굴로 말했다.

“이 사람들이 보자보자 하니까 별것을 다 묻는구먼. 정 그런 식으로 나오면…….”

표사장의 얼굴이 붉으락푸르락 변했다.

“아이구, 실례했습니다. 기억이 안 나시면 그만두어도 좋습니다만…….”

“왜 기억이 안 납니까. 당신은 그렇게 머리가 나빠 가지고 무슨 형사질을 해먹는다고 그러는 거요? 나는 그날 밤 12시경에 집을 나갔다고 그때 말했지 않아요. 그건 내 운전사한테서도 확인한 것 아니오?”

표사장이 탁자를 탁탁 치면서 소리를 높여 말했다.

“참 그러셨지요. 그 독일 바이어라는 사람의 전화를 받고 호텔로 가셨다고 했지요. 그런데 왜 그 바이어는 밤 12시나 됐는데 표사장을 불러낸 겁니까? 이거 미안합니다.”

추경감이 다시 머리를 긁적거리며 말했다.

“당신들 그런 남의 사업 비밀을 캐 가지고 무슨 짓을 하려고 그러는 거요? 보자 하니까 못 하는 말이 없구먼. 전에도 말했지만 당신들 상관인 서장도 내가 잘 알고, 치안본부에도 당신보다 높은 내 친구들이 많이 있어요. 모가지 달아나지 않으려면 엉뚱한 짓하고 다니지 마쇼.”

표사장은 벌떡 일어서더니 그대로 밖으로 나가 버렸다.

추경감과 강형사는 멍하니 서로 얼굴만 쳐다보았다.

“반장님, 모가지 떨어지기 전에 우리도 나갑시다.”

강형사가 목을 손으로 치는 시늉을 하며 말했다.

38

두 사람은 그대로 사장실에서 물러나올 수밖에 없었다.

"반장님, 아까 표사장한테 물어본 것은 전부터 다 알고 있는 일인데 왜 또 물어보았습니까?"

"똑같은 질문을 여러 번 해서 그것이 진실인지 아닌지를 알아내려고 한 거야. 이건 일제 시대부터 해오던 취조 방법인데, 한 번 써본 거야."

"그래, 이상한 점을 발견했습니까?"

추경감은 말 대신 고개만 가로저었다.

표준범 사장은 그날 밤 독일 바이어의 연락을 받고 그 바이어의 M호텔로 갔다는 것이었다.

이것은 그의 운전사나 M호텔에 있는 벨 캡틴에 의해 이미 증명이 되어 있었다.

12시께 표사장이 집을 나섰다면, 김명주가 죽은 것은 새벽 2시 이후니까 범인은 표사장이 아닌 것이 분명했다.

그렇다면 표사장이 나간 뒤 혼자서 술과 수면제를 먹고 잠을 청하던 김명주가 좀처럼 잠이 오지 않자 수영을 하러 나갔다고 볼 수가 있다.

잠이 잘 안 올 때는 가벼운 운동을 하면 잠이 온다는 의사의 처방이 정설로 되어 있었다.

잠옷을 벗고 수영복으로 갈아입은 뒤 뜰의 풀장으로 나간 김명주는 풀에서 두어 번 왔다갔다 수영을 하다가 여고 때 하던 싱크로나이즈드 생각이 나서 물 속에 얼굴을 묻고 있었는지 모른다. 그러다가 심장마비를 일으켰든지 혹은 뭔가가 잘못돼 의식을 잃고 물을 들이키다 익사했는지도 모른다.

추경감은 이렇게 억지 추리를 해 보았다.

그러나 그것은 아무래도 수긍이 가지 않았다.

형사 생활 25년에 그렇게 사람이 죽은 것을 본 일이 없기 때문이다.

김명주는 사고사나 자살한 것이 아니고 틀림없이 타살되었다는 육감을 버릴 수가 없었다.

더구나 그 딸이라는 표성희의 지나치게 신경질적인 반응이며, 정혁태의 이상한 말투, 남편으로서는 납득이 안 가는 표준범의 태도는 더욱 추경감을 의혹에 빠뜨렸다.

"여기에는 꼭 무엇인가가 있다고 생각해. 김명주는 살해된 것이 틀림없다고 난 생각한단 말이야."

북창동의 표사장 사무실을 빠져나오며 추경감이 중얼거렸다.

40

4
세 남녀의 음모

김명주가 시체로 발견된 지 1주일이 지났다. 표사장의 집은 평온한 일상으로 돌아간 듯했다.

평온한 일상이라기보다는 오히려 활기까지 띤 그런 집안 분위기로 바뀌었다.

표사장은 이틀이 멀다 하고 외박이 잦아 집에 얼굴을 비칠 날이 거의 없었다. 표성희는 그녀대로 새벽에 나가면 밤 늦게 들어왔다. 나가지 않는 날이면 정혁태와 함께 집안에서 시간을 보냈다.

정원 숲속에 돗자리를 펴놓고 먹을 것이며 마실 것을 잔뜩 가져다가 파티를 벌였다. 빨강 핫 팬티 차림에 소매 없는 얇디얇은 블라우스를 걸치고 숲 그늘에서 남자와 뒹굴었다.

그러다 싫증이 나면 풀에 풍덩 뛰어들어 수영을 즐기기도 했다.

마치 새어머니가 죽기를 기다리기라도 한 것처럼 즐겁게 거침없이 놀았다.

그러니 자연 집을 꾸려나가는 것은 객식구들인 최서방과 영주댁, 꼭지였다.

표사장의 속옷도 꼭지가 챙겨주어야 할 판이었다.

성희가 그렇게 집안에서 혁태와 함께 여름 한낮을 즐길 때, 표사장은 그 나름대로 자기 인생을 영위하고 있었다.

용인에 있는 어느 사슴 목장에 표사장이 느닷없이 나타난 것이다.

자동차 매매업을 하는 친구 백사장과 영동에서 룸살롱을 하는 장마담이 일행이었다.

"백사장은 노루 피가 좀 도움이 되었어요?"

나이보다 훨씬 젊게 보이는 갸름한 얼굴의 장마담이 웃음을 잔뜩 담은 목소리로 말을 걸었다.

이제 30대 초반을 갓 넘은 것 같은 몸매지만 실은 마흔에 가까운 장마담이다. 풍만한 가슴에 비해 허리가 대조적으로 잘록하고 다리가 한국 여인치고는 늘씬하고 길게 뻗었다. 둥그스름하고 부드러운 어깨 선 위로 목이 가늘고 길었다.

누가 봐도 미인이라고 말해 줄 몸매였다.

"장마담이야말로 노루 피로 재미 보는 것 아니야? 나는 마누라 하나 거천하기도 힘들어서 노루 피, 자라 피, 녹용을 닥치는 대로 먹는데, 장마담은 그 많은 남자를 어떻게 거느리나? 후후후……."

백사장이 이마에 개기름을 번뜩이며 기름진 목소리로 웃어넘겼다.

42

"호호호, 많은 남자를 거느린다니, 그 무슨 실례의 말씀이
에요. 제가 뭐 여왕벌이나 된답니까? 이래봬도 일부 종사하
는 몸이에요, 호호호."
장마담도 간드러지게 웃어넘겼다. 그러면서도 백사장의 그
말이 싫지는 않은 모양이었다.
"표사장이야말로 사모님도 돌아가시고 안 계신데 웬 노루
피 타령이에요?"
장마담이 이번엔 표사장을 건너다보며 농을 걸었다.
"지금 일부 종사한다고 그랬지? 그 일부란 날 말하는 거겠
지?"
표사장이 웃지도 않고 장마담의 팔을 툭 치며 말했다.
"호적에만 올려줘 봐요. 20세기 열녀 한 사람 날 테니까,
후후후."
장마담이 즐거운 듯 입을 가리고 웃었다.
"그런데 범인은 아직도 못 잡았나?"
백사장이 물었다.
"무슨 범인?"
표사장의 엉뚱한 대답.
"거 아주머니를 죽인 고얀 놈 말이야."
백사장이 괜한 말을 끄집어내었다는 듯 표사장은 몹시 난처
한 표정을 지으며 대답했다.
"범인이 있을 수 있나? 나는 아무리 봐도 사고인 것 같아.
익사 사고 말이야."
표사장이 사고란 말에 힘을 주어 말했다.
"자, 우리 안으로 들어갑시다."

백사장이 얼른 말머리를 돌리고 목장 안에 있는 조그만 건물의 현관문 앞으로 갔다.

목장 주인이 얼른 뛰어가 현관문을 열었다. 자주 드나드는 곳이어서 그들은 출입에 상당히 익숙해 있었다.

목장 주인도 마치 상전을 모시는 별장지기처럼 재빠르게 행동했다.

그들은 건물 안의 거실에 둘러앉았다.

겉보기와는 달리 건물 안은 꽤 호화롭게 꾸며져 있었다. 거실로 보이는 방은 녹색 융단을 입힌 푹신한 소파가 놓여 있었고, 이상하게도 탁자는 보이지 않았다.

갈포 벽지로 바른 벽 앞에는 대형 스탠드 라이트가 놓여 있고 그 주변에 박제된 사슴 암수 두 마리가 서 있었다. 꼭 살아 있는 것 같았다.

"주문하신 대로 튼튼한 놈을 하나 골라놨습니다. 어떻게 할까요?"

목장 주인이 겸연쩍은 듯 공연히 두 손을 자꾸 비벼대며 표사장의 의견을 물었다.

"전에처럼 생피로 하지?"

표사장이 백사장과 장마담을 둘러보며 말했다.

"두 분만 생피로 하셔요. 난 싫어요. 너무 끔찍해서……."

장마담이 얼굴을 찌푸렸다.

"아니, 장마담답지 않게 또 왜 이러실까? 영동 장마담이 누군데……?"

백사장이 빙긋 웃으며 말했다.

"헤헤헤, 약으로는 김이 무럭무럭 나는 생피가 제일이죠.

44

헤헤헤…….”
목장 주인이 연신 손바닥을 비벼댔다.
“그래도 난 싫어요. 난 옆방에 있을 테니 그냥 양주에 타서
줘요.”
“알겠습니다. 그럼…….”
목장 주인이 나갔다.
채 5분도 되기 전에 거실 문이 열리고 장정 세 사람이 송아
지만한 노루 한 마리를 끌고 들어왔다. 기다란 목 위에 짙은
갈색의 뿔이 현란하고 위풍당당하게 솟아 있었다. 노루는 놀
란 듯 큰 눈으로 사방을 두리번거렸다.
 뒤이어서 목장 주인이 형틀처럼 생긴 나무 틀을 가지고 왔
다.
 나무 틀을 세 사람이 앉은 소파 가운데 가져다 놓았다. 그리
고 노루의 무릎을 꿇게 한 뒤 그 나무 형틀에 꼼짝 못 하게 잡
아맸다.
 소파만 있고 탁자가 없는 이유는 이 때문이었다.
 그 모습을 보고 있던 장마담은 노루의 시선을 피하기라도
하려는 듯 옆방 문을 열고 들어갔다.
 노루는 기묘하게 생긴 형틀에 갇히어 꼼짝할 수 없게 되었
다. 목까지 나무 틀에 끼였다. 춘향이 옥살이할 때 큰 칼을 쓴
모습과 흡사했다.
 노루는 겁에 질려 눈을 껌벅거렸다. 다가올 자기의 운명을
예감이라도 한 듯 슬픈 눈망울이었다.
 그 옆에 하얀 가제 뭉치가 놓였다. 작은 술잔들이 여러 개
들어왔다. 그리고 마지막으로 주인 영감이 전기 톱을 가지고

왔다.

"사장님, 어떻습니까? 이놈이 지금 남은 놈들 중에는 가장 똘똘하고 약효가 받친 놈입니다."

"너무 마른 것 아냐?"

표사장이 입을 삐죽 내밀며 말했다.

"마르다뇨? 5년생 중에는 가장 튼튼한 놈입니다. 이 목줄기 좀 보십쇼."

주인이 노루의 뿔을 쥐고 흔들었다. 노루는 고통스러운 듯 눈을 껌벅였다.

"알았어. 그럼 시작해."

백사장이 침을 꿀꺽 삼키며 재촉했다.

"예."

주인이 전기 톱에 스위치를 넣었다. 윙 소리를 내며 전기 톱날이 돌기 시작했다. 다음 순간 전기 톱날은 이 세상에서는 더 이상 찾아볼 수 없을 정도의 흉기로 변했다.

윙윙 도는 톱날이 노루의 뿔을 무참히 자르기 시작했다. 뿔이 돋아난 머리쯤에 대고 톱날이 돌아갔다. 둔탁한 소리와 함께 흰 비늘 같은 것이 튀더니 금방 뿔이 떨어져나갔다.

옆의 청년이 뿔이 잘린 자리에 가제 뭉치를 가져다 댔다. 금방 가제 뭉치는 시뻘건 피에 젖었다.

주인은 재빨리 전기 톱날을 하나 남은 뿔로 가져갔다. 곧이어 그 뿔도 마저 고목 쓰러지듯 노루 머리에서 떨어져나갔다.

청년은 그쪽에도 가제 뭉치로 틀어막았다. 가제는 금방 피에 젖어 붉게 변했다.

청년은 피가 흠뻑 젖은 가제를 떼내 술잔에 대고 짰다. 검붉은 피가 양주 잔에 한 잔씩 가득 찼다.

"자, 빨리 드시죠. 조금만 지나면 엉겨서 마시기 힘들게 됩죠."

주인이 권했다. 표사장과 백사장은 술잔을 들어 피를 꿀꺽 꿀꺽 삼켰다.

청년은 큰 대접에 피를 짜 모은 뒤 옆방의 장마담한테 들고 들어갔다.

그들이 몇 잔씩 생피를 마신 뒤 주인은 스트로를 한 개씩 백사장과 표사장한테 쥐어주고는 나갔다.

뿔이 잘린 곳에는 엷은 가제가 덮여 있었고 그 가제에는 스며나온 피가 흥건히 배어 있었다. 표사장은 스트로를 뿔 잘린 곳에 쿡 박았다. 그리고는 생피를 빨기 시작했다.

다른 한쪽 뿔 자리에는 백사장이 스트로를 집어넣고 빨았다.

검붉은 피가 하얀 스트로 대롱을 통해 두 사람의 입 속으로 빨려 들어갔다.

노루는 꼼짝 못 하고 그대로 있었다. 고통을 참아내기 힘들다는 듯 눈물까지 흘렸다.

대낮의 드라큐라. 누가 보았다면 그렇게밖에 설명할 수 없을 정도로 잔인하고 참혹한 광경이었다. 인간이 그 이상 더 잔인할 수는 없을 것이다. 그것을 보여주기 위해 두 사람이 나타난 것 같았다.

한참 피를 마시던 표사장이 순간적으로 노루와 눈이 마주쳤다.

노루의 비통한 눈동자를 한참 보고 있던 표사장이 뒷주머니에서 하얀 손수건을 꺼냈다. 노루의 눈을 자기 손수건으로 덮었다. 표사장도 그 비통한 눈동자를 더 볼 수가 없었던 모양이다.

한참 생피를 마신 세 명의 드라큐라는 피에 취해 늘어졌다.

잔혹한 남녀 드라큐라한테 피를 다 뺏긴 노루는 그것도 부족한지 곧 횟거리가 되어 술상의 고급 안주로 제공되었다.

노루 피와 노루 고기로 포식을 한 세 사람은 목장의 침대에서 낮잠을 늘어지게 잤다.

저녁 무렵이 되어서야 그들은 부시시 일어나 서울로 가는 자가용에 몸을 맡겼다.

세 사람은 모두 정력이 샘솟듯 하고 기운이 펄펄 날 것이라고 생각하며 만족한 미소를 머금었다.

그날 밤 세 사람은 장마담의 룸살롱에 다시 모였다. 그리고는 새벽 2시까지 무엇인가 심각한 문제를 두고 열심히 의견들을 교환했다. 그 이야기 속에는 간간이 김명주 아버지 김쾌진의 이름이 들먹여졌다.

김명주의 아버지 김쾌진.

그는 원래 전라북도 이리 태생의 농부집 장남이었다. 도시로 나가 공부를 한 뒤 일제 시대는 검찰청 서기를 지냈다. 해방 뒤에는 변호사 사무실 서기 노릇도 했다.

자유당 때는 광주에서 시의원에 출마하기도 했지만 번번이 낙선만 했다. 그러나 5·16 군사 혁명 후 이리에 공단이 서고 개발 바람이 불자 그에게 생기가 돌았다.

쓸모없는 땅으로 버려 둔 집안 선영이 요지로 변한 것이다.

김쾌진은 그 선영을 거금을 받고 팔아넘겼다.

　그러나 집안에서 문중 땅을 횡령했다고 고발하는 바람에 옥살이까지 하는 곤욕을 치렀다.

　그러면서도 땅 판 돈을 챙겨 놓았었다. 그 뒤 서울로 올라와 그 돈으로 변두리에 극장을 차렸다. 그러나 경험 없는 사업을 한 것이 잘못이었다. 한푼 없이 돈을 다 날리고 지금은 별볼일 없는 늙은이로 변해 버렸다.

　김명주가 표준범과 결혼한 것은 김쾌진 영감의 극장이 한창 잘 될 때였다. 김쾌진이 선영을 팔아 돈푼깨나 만질 때 김명주는 학창 시절이었다. 그 덕으로 김명주는 피아노 레슨이다, 미술 과외다, 수영 과외다 하는 부모들의 허영에 보조를 맞춰야 했다.

　그 덕택에 여고 때는 싱크로나이즈드 선수 생활까지 하게 되었다.

　싱크로나이즈드는 근래에 각광을 받고 있는 첨단 스포츠다. 그것은 무용과 스포츠를 합친 것과 같은 경기였다. 미모가 뛰어난 명주에게 썩 잘 어울리는 운동이었다. 주위에서도 현대의 각광받는 스포츠인 체조와 함께 장래가 유망하다고 권유를 했다.

　그러나 선수로 대성하기는 힘들었다. 우선 게을러서 땀을 쏟으며 지옥을 견디는 듯한 훈련을 이겨내지 못했다.

　둘째는 선척적으로 폐활량이 보통 사람보다 뛰어나야 하는데 그것이 출중하지 못했다. 그래서 결국 김명주는 싱크로나이즈드 대회에 한 번 나가 보지도 못하고 그만두어야만 했다.

　어쨌든 장마담의 룸살롱에서 엉뚱하게 김쾌진의 이름이 거론된 것이다.

　원래 비천한 집안에서 태어나 배운 것 없이 적수공권으로 재산을 모은 표준범과 백인호 사장. 그들은 어릴 적 불행한 시절부터 단짝이었다. 서로가 서로를 잘 알았다. 그들 사이엔 비밀도 사회 생활에서 지켜야 할 거추장스런 체면도 없었다. 그들이 함께 뛰어서 돈을 번 것이 한두 번이 아니었다.

　그들이 이번엔 천하의 모사꾼인 장마담까지 끼워서 무슨 음모를 꾸미는 것일까?

　표준범 사장을 은밀히 미행하고 있는 강형사는 그들이 무슨 일인가를 저지를 것이라는 예감에 사로잡혔다.

5

여름 스키장

집과 서울에서의 여름이 따분해진 표성희는 정혁태를 데리고 진부령 스키장으로 갔다.

성희는 자기가 직접 운전하는 블루스카이 색깔의 소나타에 정혁태를 장난감처럼 태우고 갔다.

옅은 보랏빛의 원피스 차림에 노란색 스카프를 목에 살짝 두른, 시원하고 세련되어 보이는 차림으로 서울을 떠났다.

보라색 원피스는 지난 초여름 문영숙 부티크에서 160만원을 주고 맞춘 두 벌 중의 하나였다. 처음 입어보는 옷이었다.

그러나 성희는 양평을 지날 무렵 덥다는 핑계로 아예 원피스를 벗어 버렸다.

비키니 차림이었다. 희고 부드러운 어깨며, 땀이 보송보송한 잔등이가 고혹적이었다. 혁태는 흘금흘금 성희의 백설 같은 허벅지 살을 곁눈질로 훑어보며 즐거워했다.

비키니만 입은 아가씨 기사는 홍천에서 교통 순경에게 잡히고 말았다. 그런 순경 아저씨도 몇 번 성희의 기막힌 몸매를 흘금흘금 보더니 그냥 보내 줬다.

기가 막힌 모양이었다.

"이 맹추야, 운전이나 좀 배워두지. 무슨 사내가 운전도 못 한담? 정 형, 너 참 컨트리 맨이다. 그치?"

성희는 홍천을 지나자 피로로 신경이 예민해진 듯 정혁태를 구박하기 시작했다.

"우리 집도 미스 표처럼 그렇게 부자였어 봐. 자가용 비행기 조종도 다 배워뒀을걸……."

혁태도 지지 않았다.

"택시기사는 뭐 집이 부자라서 운전 배웠니? 정 형은 매사를 그렇게 운명론으로만 돌리려고 해. 사람이 좀 적극적인 사고방식을 가질 수 없어요?"

성희는 말투도 제 맘대로 공대했다가 너라고 깔아뭉갰다가 친구처럼 형으로 부르기도 했다.

그러나 한 가지 변하지 않은 것은 성희가 혁태의 품에 안겼을 때만은 말씨를 깍듯이 공대한다는 것이었다.

그들은 해가 뉘엿해질 무렵 여름의 진부령 스키장에 도착했다.

스키장은 겨울 눈 대신 플라스틱으로 슬로프를 만들어 놓았다. 겨울철만큼 스키의 맛은 없지만, 기분은 충분히 낼 수가 있었다.

하얀 플라스틱 슬로프는 겨울철의 눈 이상으로 아름다웠다. 짙푸른 소나무숲이 잘 어울렸다.

여름 스키는 겨울보다 더 고도의 기술을 요구했다. 슬로프에서 미끄러지면 눈과 달라 크게 부상을 입는다.

더구나 살갗이 플라스틱 슬로프에 닿으면 화상을 입기 십상이다. 그래도 여름 스키장은 사람들로 가득했다.

성희는 스키에서는 베테랑이었다. 모두가 넘어질 경우 화상을 염려해서 질긴 옷들을 입고 무릎에는 서포터(압박대)까지 끼우고 머리에는 헤드기어를 쓰고 스키를 탔다. 무더위 속에서도 그것이 즐거운 모양이었다.

그러나 표성희는 달랐다. 날렵한 몸매에 비키니 차림이었다. 빨간 비키니에 분홍색 스카프를 머리에 살짝 두르고 능숙한 솜씨로 슬로프를 미끄러져 내려갔다. 그 솜씨야말로 일품이었다.

거기 모인 수많은 남녀들이 모두 넋을 잃고 성희를 바라볼 정도였다.

모두가 선망과 감탄을 금치 못했다. 성희가 슬로프를 타면 모두가 비켜섰다. 젊은 청년들은 박수까지 쳤다.

정혁태도 성희를 따라 겨울 스키장엔 자주 왔었다. 여름 스키장도 이것이 처음은 아니었다. 그러나 성희의 날렵한 솜씨는 도저히 흉내낼 수가 없었다. 성희는 타고난 스키 선수처럼 보였다.

스키장의 여름 밤은 낭만적이었다. 여기저기에 캠프 파이어가 타오르는가 하면, 거대한 실내 플로어에서는 고고춤 경연이 열리기도 했다. 건물 서쪽 소나무숲 아래 설치된 인공 수영장에는 전깃불이 대낮처럼 밝게 켜져 있었다.

수영장 옆의 베란다에는 비치 파라솔과 간이 의자가 유럽의

거리 카페처럼 늘어서 있었다.

젊은 남녀는 팔짱을 끼고, 혹은 어깨를 싸안은 채 스키장의 여름 밤을 걸으며 낭만에 젖었다.

건물 맞은편 아카시아숲 위에 지어진 호화스런 방갈로들은 만원이었다.

냉방 시설이 잘 된 스키장 호텔도 호화롭기 그지없었다.

하룻밤을 자는 데 100만원까지 하는 VIP 객실이 몇 개나 있었다.

성희는 일박에 20만원 하는 방을 잡았다. 변기까지 수입품 대리석으로 장식된 욕조에서 샤워를 즐겼다.

탄력 있고 늘씬한 몸매를 거울에 비쳐 보았다. 비키니를 입었던 젖가슴과 아랫배의 삼각 부분이 선명했다. 낮에 탄 스키는 상상보다 훨씬 더 햇빛에 몸을 그을게 했다.

비키니가 가렸던 부분과 햇볕에 탄 부분이 마치 선명한 동양화를 그려 놓은 듯이 구분되었다.

"정형, 나 좀 봐. 예쁘게 탔지?"

성희가 갑자기 욕실에서 뛰어나왔다.

실오라기 하나 걸치지 않고 샤워를 하던 그대로 뛰어나온 것이다.

의자에 앉아 성희가 샤워하고 나오기를 기다리던 정혁태는 성희의 뜻밖의 모습에 당황하면서 일어섰다.

"어어, 성희……!"

"이봐, 곱게 탔지?"

그제서야 성희도 자기가 너무했다는 생각이 들었던지 비스듬히 돌아서며 말했다.

탄탄한 갈색 피부에 물방울이 송송 맺혀 그 싱그러움을 더했다.

늘씬한 키에 대리석처럼 가지런히 곧게 뻗은 두 다리, 탄력이 넘치고 기하학적으로 둥근 두 개의 젖무덤, 충분한 볼륨으로 눈을 사로잡는 아름다운 엉덩이.

혁태는 넋을 잃고 바라보았다.

"이 맹추야, 뭘 그렇게 뚫어지게 보는 거야? 따가워!"

성희가 혁태를 향해 날카롭게 소리를 지르고는 욕실로 도로 들어가 버렸다.

두 사람은 샤워를 마친 뒤 느슨한 옷차림으로 식당에 들렀다.

"기왕 우리 여기까지 왔으니 오늘 우리 최고급으로 좀 놀아 보자."

성희가 목을 자라처럼 움츠리며 혁태를 보고 나직이 말했다.

"어떻게 노는 게 최고급이야?"

혁태도 빙긋이 웃으며 말했다. 혁태의 눈은 낮부터 성희의 젖가슴에 계속 머물고는 그때마다 맥을 못 추었다.

"우선 오늘 이 식당에서 제일 비싼 것이 뭔지 좀 물어보고 실컷 먹는 거야."

그때 나비 넥타이를 맨 웨이터가 왼손에 흰 수건을 걸친 채 다가섰다.

"오늘 밤 특별 요리가 뭐요?"

혁태가 물었다. 웨이터는 두 사람을 번갈아보더니 아는 체를 했다. 낮에 성희가 스키장에서 워낙 인기를 끌어 놓았으니 알 만도 했을 것이다.

"저쪽에 좋은 자리가 있는데 옮기지 않으시렵니까?"

웨이터가 손으로 안쪽을 가리켰다. 그리고는 따라오라는 듯이 앞장섰다.

두 사람은 웨이터를 따라 두어 스텝 바닥이 높은 특별석으로 갔다. 그곳은 전망이 좋아 밖의 밤 스키장이 잘 보였다. 캠프 파이어를 둘러싸고 노래들을 부르는 모습이며, 수영장이며, 비치 파라솔 아래의 남녀들 모습이 한눈에 들어왔다.

"오늘 저녁 스페셜로는 롭스터를 곁들인 A 코스 정식이 있습니다."

"롭스터?"

혁태가 물었다.

"예, 제주도에서 냉동한 뒤 여기까지 특별히 운반한 것입니다."

"1인분 얼마예요?"

성희가 물었다.

"예, 음료수 포함 안 하고 1인분 10만5천원입니다. 세금은 별도입니다."

"그걸로 줘요."

성희는 쉽게 내뱉어 버렸다. 웨이터는 연필과 메모지를 들고 꼬치꼬치 주문을 받기 시작했다.

한참 걸려서 이탈리아 포도주까지 주문을 마친 뒤 성희는 혁태를 바라보며 나직이 그러나 단호하게 물었다.

"정형, 그 여자 왜 죽였어?"

6
뜻밖의 첫사랑

김명주를 왜 죽였느냐는 성희의 엉뚱한 질문에도 정혁태는 당황하는 기색이 보이지 않았다. 오히려 비웃듯이 엷은 웃음을 입가에 천천히 흘렸다.

"성희, 무슨 증거라도 있는 거야?"

한참 소리 없이 웃고 있던 혁태가 입을 열었다.

"증거? 증거보다 더 확실한 여자의 직감이란 게 있어. 나는 사건이 난 것을 처음 알았을 때 머리에 번개처럼 스쳐가는 것이 있었어. 그것이 정형의 얼굴이었단 말이야."

혁태와는 달리 성희는 거의 정색을 하고 말했다.

"하하하…… 거 참, 놀라운데. 셜록 홈즈 같아, 하하하."

갑자기 혁태가 큰 소리로 웃었다. 조용하던 식당 안에 돌팔매 맞은 물결처럼 웃음소리가 퍼져나갔다. 저녁 식사를 즐기던 남녀들이 모두 이쪽을 쳐다보았다. 그러나 혁태는 창피하다거나 미안하단 생각은 조금도 않는 듯했다.

"미스 표는 그걸 어떻게 알았지? 하하하."

혁태는 주위를 전혀 개의치 않는다는 듯이 또 한바탕 웃어젖혔다. 그 모습은 성희를 보고 웃기지 말라는 항변 같았다.

성희의 테이블이 요란해지자 반대쪽 구석의 테이블에 있던 젊은 여자가 발딱 일어서서 이쪽으로 걸어왔다. 얼굴에는 잔뜩 화가 난 표정이 어려 있었다.

조금 전부터 뚱뚱한 남자와 식사를 하고 있던, 30대 중반으로 보이는 여자였다. 동그스름한 얼굴에 선이 분명한 콧날이며 얇은 입술이 '나는 살고 싶다'의 수잔 헤이워드와 비슷했다.

그녀는 또박또박 하이힐 소리를 내며 걸어와서는 정혁태 앞에 똑바로 섰다.

"혁태씨!"

그녀는 금속성의 목소리로 나직하고 힘있게 혁태를 불렀다.

"아니…… 이거 미스 고 아냐?"

혁태는 그 여자를 보자 눈이 휘둥그래졌다. 놀라도 보통 놀라는 것이 아니었다.

"날 알아봐 주니 고맙군요. 제발 주변에서 조용히 저녁 좀 먹게 얌전히 앉아 있을 수 없어요?"

여자는 혁태를 보고 나직하고 단호하게 꾸짖은 뒤 앉은 성희를 힐끗 내려다보았다. 그리고 조금 전과는 너무도 대조적인 온화한 얼굴로 말했다.

"아가씨, 실례했습니다."

그런 다음 방긋 웃고는 휙 돌아서서 또박또박 경쾌한 하이힐 소리를 내며 제자리로 돌아갔다.

혁태와 성희는 미처 응답도 못 한 채 멍하니 여자의 뒷모습만 바라보고 있었다.

그녀는 제자리로 돌아가자 아무 일도 없었다는 듯이 그 30대 중반의 뚱뚱한 남자와 식사를 시작했다.

"누구야?"

성희가 모멸감을 뒤늦게 느꼈는지 얼굴이 상기되면서 물었다.

"저 여자, 몰라? 고미화 아냐?"

정혁태가 나직이 말했다.

"고미환지 고양이인지는 모르지만 뭣 하는 여자야?"

성희는 그 이름을 듣자 금방 누군지 알았다. 그러나 모른 척하고 다시 물었다. 항의 투였다.

"한국화 그리는 고미화란 말이야. 작년에 왜 미전서 최고상 받은 작가 있잖아!"

혁태가 열을 올렸다. 미술사를 전공하는 성희가 모를 리 없었다.

"피라미 화가까지 내가 어떻게 다 아니?"

그것도 거짓말이다. 인기 가수인 K가 아내와 이혼하게 된 사건을 모르는 사람은 거의 없다. 가수 K와 고미화의 정사 사건은 주간지와 여성 월간지 주요 흥미 기사였다. 적어도 지난 2년 동안은 연예계의 화제이기도 했다. 그러나 정혁태는 그 사건만큼은 끄집어내지 않았다.

한참 분에 못이겨 씩씩거리던 표성희가 혁태를 쳐다보며 물었다.

"그 K인가 뭔가 하는 가수하고는 어떻게 됐대?"

혁태는 빙긋이 웃을 수밖에 없었다. 여자는 역시 여자다. 남의 스캔들이 그렇게 궁금한 모양이다.

"깨끗이 헤어졌지, 뭐가 어떻게 됐겠어?"

혁태는 연신 히죽히죽 웃었다.

"그런데 정형은 어떻게 해서 저 여자를 그렇게 잘 알아?"

성희가 방금 가지고 온 수프를 후룩후룩 소리를 내며 먹으면서 물었다.

"잘 아는 건 아냐. 대학 1학년 미팅 때 만났을 뿐이야."

"미팅? 그 뒤에 썸싱이 있는 거지?"

성희가 다잡아 물었다.

"노우, 노우, 낫싱이야."

"거짓말 말아요. 누군 뭐 대학 1, 2학년 때 미팅 안 해봤나? 한 번씩 보고 버린 상대는 낙산 해수욕장 모래알처럼 많을 텐데, 7, 8년이 지난 지금까지 기억할 턱이 있어? 솔직이 털어 봐요."

"옛날 일 가지고 질투하는 거야?"

"질투? 웃기지 마. 질투를 하느니 차라리 정형을 차버리겠어, 후후후. 정형, 정말로 사람 웃기네……."

성희는 그 말에 몹시 자존심이 상한 모양이었다.

"미팅 한 번 하고 헤어진 사이는 아니고…… 몇 번 만났었지. 한때는 졸업하고 나면 결혼하자 어쩌자 하고 재잘거리기도 했어. 그땐 서로 철없던 시절 아냐. 소꿉장난 같은 거였지. 찻잔 마주하고 앉아서 서로 얼굴이나 뜯어보며 배고픔을 달래고…… 어쩌다 손이 서로 맞닿거나, 내 팔꿈치가 그녀 가슴에 슬쩍 스칠 때는 서로 깜짝깜짝 놀라곤 하던, 그런……."

"웃기고 있네, 정말. 그렇게 순진한 척 안 해도 괜찮아."

그때 웨이터가 메인 디시를 가지고 왔다. 그들은 잠시 동안 말없이 음식만 먹고 있었다.

고미화 쪽은 벌써 다 먹었는지 둘이서 팔짱을 끼고 밖으로 나갔다. 성희와 혁태는 안 보는 척하면서 그 모습을 흘금흘금 훔쳐보았다.

고미화의 뒷모습은 스캔들의 주인공답게 고혹적이었다. 곧게 쭉 뻗은 두 다리가 동양인답지 않은 기하학적인 균형미를 풍겼다.

성희와 혁태는 다시 방으로 돌아왔지만 분위기는 상당히 어색했다.

성희가 침대에 털썩 주저앉자, 혁태가 따라 앉으며 슬그머니 성희의 어깨를 감쌌다. 성희가 기다렸다는 듯이 얼굴을 혁태의 가슴에 묻어 왔다.

혁태는 두 손으로 가슴에 묻힌 성희의 얼굴을 감싸쥐며 일으켰다. 그리고 천천히 자기 입술을 갖다 대었다. 혁태가 뺨을 감싸쥐었던 두 손으로 성희의 허리를 안고 힘껏 끌어당겼다. 그러면서 열심히 성희의 입술을 빨았다.

가쁜 두 사람의 호흡이 불도 켜지 않은 호텔 방을 꽉 채웠다. 창으로 스며드는 바깥의 불빛만이 은은히 커튼을 적시고 있었다. 혁태는 다시 천천히 부드럽게 성희의 윗몸을 밀어 침대에 넘어뜨렸다. 그리고 왼손으로 성희의 블라우스 틈을 헤집기 시작했다.

그때였다. 성희가 갑자기 벌떡 몸을 일으켰다.

"불결해!"

성희가 날카롭게 내뱉고는 혁태의 팔을 뿌리치고 밖으로 나가 버렸다. 순식간에 일어난 일이라 혁태는 멍하니 그냥 앉아 있을 수밖에 없었다.

한참 그 자세로 앉아 있던 혁태도 천천히 일어나 밖으로 나갔다. 성희는 어디로 갔는지 찾을 수가 없었다. 성희가 이런 돌발적인 행동을 취한 것은 전에도 가끔씩 있었다.

혁태의 품에 안겨 있다가도 갑자기 뿌리치고 나가는가 하면 어떤 때는 혁태의 뺨을 때리기도 했다. 그러나 참을성 많은 혁태는 그저 빙긋이 웃고 귀엽게 받아넘기곤 했다. 그러나 오늘밤처럼 불결하다고 소리를 친 것은 처음이었다.

혁태는 성희를 찾아 호텔 커피숍이며 식당을 한참 돌아다녔으나 허탕이었다. 아래층 로비를 돌아 밖으로 나섰을 때, 건너편 광장에선 캠프 파이어가 한창 타오르고 있었다.

페티 페이지의 '체인징 파트너(Changing Partners)'에 맞춰 젊은 남녀들이 한마당 어우러져 춤을 추고 있었다.

혁태는 천천히 그곳으로 가다가 캠프 파이어 불빛 속에 신나게 춤추는 성희를 발견했다. 그녀는 키 큰 청년과 한창 춤을 추고 있었다. 금방 침대 위의 자기 품에서 빠져나간 여자 같지 않았다. 낯선 한 여자가 춤과 남자와 불빛에 취한 것같이만 느껴졌다.

혁태가 넋 나간 사람처럼 한참 그 모습을 바라보고 있을 때, 누군가가 혁태의 어깨를 툭 쳤다.

"미스터 정, 뭘 보며 장승처럼 서 있는 거야?"

혁태가 뒤를 돌아보았다. 뜻밖에도 고미화였다.

"어? 미스 고!"

혁태는 그녀의 출현이 너무 뜻밖이라 그냥 바라보기만 했다.

"쯧쯧, 병아리를 놓쳤구먼요."

고미화가 입가에 미소를 한껏 담고 말했다.

"병아리라니, 성난 암탉이랍니다."

"호호호, 성희가 벌써 암탉까지 됐단 말인가요? 호호호."

고미화가 간드러지게 웃었다.

"성희를 어떻게 알지?"

"왜 몰라? 김명주 딸 아냐. 표사장 후처로 시집 간 김명주 말이야. 참 명주가 죽었다면서요?"

고미화가 이번엔 웃지 않고 말했다.

"그래요, 죽었어요."

혁태는 앞장서서 숲 쪽으로 걸으며 말했다. 고미화도 아무 말 않고 혁태의 뒤를 따라갔다. 그들은 한참 걸어 인적이 없는 호텔 뒤 산기슭의 아카시아나무 아래로 가서 주저앉았다. 눈 앞에 호텔 창문들이 마천루의 불빛처럼 군데군데 빛을 뿜고 있었다.

하늘에는 별이 총총히 박혔다. 오늘 밤은 별이 유난히 더 많은 것 같았다.

"미화, 정말 오랜만이야."

"그래요. 우리 약 2년 만에 만난 것 같은데요."

고미화는 슬그머니 혁태의 손을 잡았다. 어두워서 서로의 얼굴이 확실히 보이지 않았지만 그들의 얼굴은 과거의 일로 착잡한 표정이 되었다.

"미화는 나쁜 여자야. 하지만 지금은 원망하지 않아."

혁태는 자기의 왼손을 미화한테 맡겨 둔 채 나직이 속삭였다.

"혁태씨는 더 나쁜 사람이야. 아무리 후처라도 모녀간은 모녀간이에요. 세상에 그럴 수가 있어요? 성희를 농락해서는 안 돼요."

미화는 슬그머니 혁태의 가슴을 파고들면서 속삭였다.

"농락하는 게 아니라니까."

"그럼 여기까지 데리고 와서 어쩌자는 거예요? 그냥 곱게 보디가드나 하고 있는 건가요? 그 솜씨에……."

고미화는 나직이 속삭이다 말을 딱 그치고 자기 입술을 혁태의 입술에 가져다 포갰다. 혁태는 마지못한 듯 고미화를 받아들였다.

"혁태씨는 나쁜 사람이야. 그런데 내가 왜 이러는지 모르겠어. 아까 식당에서 혁태씨의 얼굴을 보는 순간 난 심장이 갑자기 터지는 것 같았어요. 아마 당신이 나의 첫사랑이라서 그런가 봐요. 여자는 일생 동안 첫사랑의 환상에서 벗어나지 못한다고 하더군요. 나도 첫사랑의 포로가 됐나 봐요."

무더운 여름 밤, 풋풋한 아카시아 향기가 안개처럼 퍼졌다.

"같이 온 사람은 어떻게 되었어? 굉장한 미남이던데……."

"그 멍청이? 저기서 지금 춤추느라 정신이 없어. E그룹 막내 녀석인데 좀 모자라는 것 같아."

"결혼할 상대야?"

"결혼? 글쎄, 배경하고 결혼한다면 모를까……. 유(you)는 성희하고 결혼할 작정이에요?"

고미화는 혁태의 머리를 가볍게 쓰다듬으면서 물었다.

"나도 미화하고 같은 입장일 거야."

"나빠요. 명주를 생각해서도 그러면 못 써요. 명주 친구로서 충고하는데, 성희는 그냥 놔주세요. 제발……."

"……."

혁태는 아무 말도 하지 않고 이번엔 고미화를 풀밭에 쓰러뜨렸다. 조금 전 침실에서 성희를 침대에 쓰러뜨린 것과 똑같은 일을 되풀이했다. 다만 침대가 풀밭으로 바뀌었을 뿐이다.

"놔요. 이제 가봐야 해요."

여자는 언제 그랬느냐는 듯 발딱 일어났다.

"명주는 누가 죽인 거예요?"

고미화가 갑자기 엉뚱한 질문을 했다.

"명주는 아무래도 그 남편인 표사장이 죽인 것 같아요. 아니면 표독스럽고 변덕스러운 그 딸 성희…… 그렇지도 않다면 유가 의심스럽네요?"

고미화는 일어나 앉아 옷매무새를 고치며 혼잣말처럼 중얼거렸다.

"여기는 장소가 안 좋아요."

미화는 혁태의 의견도 듣지 않고 앞장서서 호텔 쪽으로 걷기 시작했다.

7
기묘한 인연

추경감과 강형사는 수사의 진전이 전혀 없어 초조했다. 추경감은 죽은 김명주의 과거에 대해 다시 한 번 캐보도록 지시했다. 과거의 행적을 더듬어보면 무슨 단서를 찾을 수 있을지 모른다고 생각했기 때문이다.

강형사는 우선 김명주의 친한 친구들을 만나 이것저것을 캐보기 시작했다.

그러나 누구 하나 속시원히 그녀의 과거를 이야기해 주는 사람이 없었다. 특히 김명주가 표준범과 결혼하게 된 경위를 자세히 알기가 어려웠다.

김명주와 고등학교 때 단짝이었던 고미화를 강형사는 여러 차례 만났다. 고미화는 김명주와 고등학교 동창일 뿐만 아니라 대학에 다닐 때도 단짝이었다. 결혼하기 전까지는 자주 만나고 무슨 일이든지 상의를 했다고 한다.

　강형사가 고미화를 통해 들은, 김명주와 표준범의 결혼 경위는 대개 다음과 같았다.

　대학을 마친 몇 년 뒤의 어느 신정 연휴 때, 명주는 설악산으로 놀러 갔다. 겨울의 설악을 구경하자는 친구들의 권유를 따라 명주가 직접 차를 몰고 설악산까지 갔었다.

　이틀을 친구들과 함께 보낸 명주는 따분해졌다. 무슨 신나는 일이 없을까 하고 두리번거리다 마침내 좋은 소일거리를 발견했다. 그 호텔에서 멀지 않은 곳에 지난 가을부터 골프장이 개장되었다는 것을 안 것이다.

　명주는 골프를 배운 지 채 반년도 안 되었기 때문에 한창 골프에 미쳐 있는 때였다.

　명주와 같이 온 친구 고미화와 또 한 친구 임숙이는 골프를 배우지 못했다. 명주는 두 친구를 뿌리치고 혼자 골프를 치기 위해 손수 차를 몰고 골프장으로 향했다.

　골프장은 호텔에서 해변 쪽으로 빠져나오다가 왼쪽 계곡으로 좁은 길을 올라가야 했다. 지난해 연말에 뿌린 눈들이 완전히 녹지 않아 산 그늘이 짙은 길은 빙판이 져 있었다.

　빙판길 커브를 돌던 명주는 갑자기 앞에 나타난 검은 그랜저와 마주쳤다.

　명주가 충돌을 피하기 위해 핸들을 오른쪽으로 세게 잡아돌렸다. 자동차는 기우뚱하면서 계곡에 절반쯤 미끄러져 내려가다 흙더미에 머리를 처박고 섰다.

　검은 그랜저에서 한 남자가 뛰어내려왔다. 그 사람은 놀란 나머지 앞으로 곤두박질을 하며 명주의 차까지 와서 도어를 황급히 열었다.

"다치지 않았습니까?"

명주는 핸들을 꼭 잡은 채 놀란 토끼 눈이 된 그 사나이를 쳐다보았다.

그때 갑자기 웃음이 나왔다.

"호호호."

"예?"

명주가 웃어대자, 사나이도 영문을 모른 채 한참 쳐다보다가 따라 웃었다.

그 사나이가 표준범 사장이었다. 그도 가족과 함께 설악산에 신정 연휴를 즐기러 왔다가 아내와 외동딸인 성희를 호텔에 남겨 둔 채 새벽에 혼자 골프장에 가서 나인 홀을 라운딩하고 돌아오는 길이었다.

"어디 다치신 데는 없습니까?"

명주가 웃음을 그치자, 표준범은 걱정스럽게 물었다.

"괜찮아요. 손 좀 잡아주시겠어요?"

"예."

명주가 차에서 내렸다. 명주의 차는 계곡 내리막에 처박혔기 때문에 쉽게 나올 것 같지가 않았다.

"이거 정말 죄송합니다."

준범은 미안해하면서 명주의 차를 끌어내리려고 운전대에 앉았다.

한참 땀을 흘려 애를 쓰던 준범이 명주의 차를 내리막 계곡에서 끄집어냈다.

명주의 은빛 소나타는 오른쪽 머리가 쭈그러든 채 흙을 뒤집어쓰고 있었다.

"운전 기술이 좋군요. 수고하셨어요."

콧등에 땀까지 송송 맺힌 표준범을 보며 명주가 말했다.

"어디, 골프장 가시는 길입니까?"

준범이 물었다.

"예."

"전 금방 나인을 돌고 오는 길입니다. 참, 전 표준범이라고 합니다."

준범이 공손히 말하며 새삼스럽게 고개를 깊이 숙이고 인사를 했다.

"처음 뵙겠어요. 전 김명주라고 불러 주세요."

명주도 얌전하게 두 손을 무릎 앞에 모으며 고개를 숙여 인사를 했다.

"혼자서 라운딩하실 계획이었나요?"

"예, 가봐서 메이드가 되면 같이 돌고……. 전 아직 비기너이거든요."

"예, 그랬군요. 그럼 이렇게 하면 어떨까요? 저와 같이 나인 홀만 라운딩하면……."

그렇게 해서 두 사람은 함께 골프장으로 향했다. 명주의 차는 아예 길가에 세워둔 채 두 사람은 표사장의 차를 함께 타고 골프장으로 달렸다.

"골프장엔 자주 나가세요?"

명주가 표사장의 아래위를 찬찬히 훑어보며 말을 걸었다.

"웬걸요, 사업에 쫓기다 보니까 한 달에 한두 번 나갑니다. 그것도 손님 접대나 하러 가는 정도지요."

표사장은 능숙한 솜씨로 운전을 하면서 간간이 명주의 얼굴을 쳐다보는 것도 게을리하지 않았다.

"설악산에는 혼자 오셨나요? 보아 하니, 미스이신 것 같은데……."

"예, 그리고 아니에요랍니다."

"예?"

"혼자 온 것은 아니에요이고 미혼인 것은 예스랍니다."

"하하하, 참 재치있는 말솜씨군요."

"선생님은 가족들과 함께 오셨나요?"

이번엔 명주가 물었다. 그들은 이렇게 주거니 받거니 하면서 함께 차를 타고 골프장에 도착했다. 그들은 아웃 나인을 라운딩했다. 해가 벌써 중천에 떠서 열두시 반을 가리키고 있었다.

"나인을 더하시겠어요?"

표사장이 물었다.

"참 재미있네요. 선생님만 좋으시다면……."

그렇게 해서 이들은 인코스 나인을 다시 돌았다. 그러는 사이 그들은 마치 오랜 친구처럼 가까워졌다.

표사장은 가족들, 성희와 아내가 호텔에서 기다리고 있다는 것도 깜박 잊고 명주와 어울렸다.

김명주 역시 친구들이 기다리고 있었지만 아랑곳하지 않았다. 그들의 첫 만남은 이렇게 서로를 잡아끄는 어떤 매력 속에 이루어졌다.

겨울 해는 짧아 금방 넘어가고, 그들이 나인을 돌고 샤워를 하고 나왔을 때는 이미 땅거미가 지고 있었다.

식당에서 마주 앉은 두 사람은 서로 의미 있는 눈웃음을 주고 받았다.

금방 샤워를 하고 나온 명주는 풋풋한 햇과일처럼 해맑았
다. 오똑한 콧날이며 약간 양끝이 위로 치켜진 듯한 눈이 비범
한 용모를 잘 대변하고 있었다.

"마주 앉아서 보니 굉장한 미인이군요. 참으로 영광입니
다."

이것은 표사장이 진심으로 한 말이었다.

"아이, 표사장님도! 너무 그러시면 부끄러워서 다신 만날
수 없을 거예요."

명주는 싫지 않은 듯 눈웃음을 흘리며 말했다.

"어때요, 여기서 간단히 맥주로 목만 축이고 호텔 식당이나
나이트 클럽 같은 데로……."

표사장이 조심스럽게 명주의 안색을 살피며 말을 건넸다.

"좋아요. 여기서 속초까지면 금방 갈 수 있겠죠?"

명주가 완전히 한술 더 뜨는 격이 되었다.

그래서 그들은 표사장의 차를 타고 속초로 내달았다. 관광
호텔에서 간단히 저녁을 먹은 뒤 나이트 클럽으로 내려갔다.

나이트 클럽에서 그들은 새벽 한시까지 마시고 춤을 추었
다. 표사장은 명주의 춤 솜씨며 술 실력이 보통이 아니라고 생
각했다.

"어때요, 이제 객실로 올라가 좀 쉬지 않겠어요?"

이런 제의를 한 것은 뜻밖에도 김명주였다.

8

현대인의 탐험

명주는 한 손으로 표사장의 손을 잡고 한 손으로는 벗어두었던 코트를 들고 성큼성큼 나이트 클럽을 걸어나갔다.

표준범도 마치 마술에 걸린 방아깨비처럼 명주의 손에 이끌려 나이트 클럽을 걸어나왔다.

처음 들어올 때 표준범이 명주를 끌다시피 했던 것과는 전혀 상황이 달랐다. 두어 시간 맥주를 마셨지만 표준범은 취할 정도는 아니었다.

그런데도 명주나 표준범 두 사람은 모두 기분이 썩 좋은 상태였고, 조그만 자극에도 큰 행동을 저지를 심리 상태에 놓여 있었다.

"우리 샤워부터 좀 해요."

요란한 조명과 가슴까지 쿵쿵 울리게 하는 밴드 소리를 벗어나 엘리베이터 앞에 온 명주는 어깨를 슬그머니 표준범의 가슴에 기대며 말했다.

"굉장한 미인이기도 하지만, 어쩌면 그렇게 춤을 잘 추나
요? 너무 즐거웠어요."

표준범이 명주의 귓전에 입술을 바싹 대고 속삭이듯 나직이
말했다. 명주의 부드러운 머릿결에서 풍기는 냄새가 퍽 좋았
다. 신선한 아카시아 풀잎 냄새 같기도 하고 진한 장미꽃 향기
같기도 했다. 그 냄새가 표준범을 더욱 황홀하게 했다.

"저만 춤을 잘 추는 건 아녜요. 선생님도 춤 솜씨가 보통 아
니던걸요. 절도 있게 움직이는 발걸음이며, 어깨 놀림이 젊
은 애들 같아요. 어쩜……."

명주가 반쯤 감은 눈을 위로 치켜떠 보이며 역시 나직하게
말했다.

"저 이래뵈도 노래도 잘 불러요."

명주는 한껏 기분이 좋아선지 하지 않아도 될 이야기까지
했다.

"그럴 것 같아요. 그 노래를 듣지 못해 유감천만이군요."

표준범의 의례적인 말이 떨어지기도 전에 "그렇담, 어디 제
노래 한 번 들어보실래요." 하고 명주가 홱 돌아서서 나이트
클럽으로 도로 들어갔다.

표준범은 갑작스런 명주의 행동을 멍하니 보고 있다가 따라
들어갔다.

명주는 실내로 들어서자마자 곧장 무대 쪽으로 걸어갔다.
무대 위에서는 악사들이 한창 연주에 열을 올리고 있었다.

디스코 가락이 신나게 울려나오고, 한 남자가 걸쭉하고 힘
찬 목소리로 마이크를 잡고 노래를 부르고 있었다.

명주는 그 남자 앞으로 걸어갔다. 그리고 다짜고짜 마이크를 빼앗아 쥐었다.

"실례해요. 저도 한 곡조 뽑읍시다."

명주가 생긋 웃으며 목을 옆으로 꼬고 인사를 했다. 마이크를 뺏긴 남자는 멍청히 명주를 쳐다보다가 엉거주춤 웃음을 흘리며 목례를 하고는 그냥 물러섰다.

명주의 상식 밖의 짓이 통한 것이다. 사나이는 명주의 뇌쇄적인 미모와 웃음에 항의할 엄두를 내지 못한 것 같았다.

"그토록 다짐을 하건만……."

청아하고 탁 트인 목청으로 '사랑의 미로'가 마이크를 통해 온 실내에 가득 퍼졌다.

잠시 어리둥절하던 밴드가 곧 그 곡조를 따라 반주를 시작했다.

디스코로 한창 열을 올리던 남녀는 이 갑작스런 분위기의 전환에 잠깐 주춤한 듯했으나, 곧 슬로 고고 춤이 시작되었다.

가수 최진희 뺨칠 정도로 구성지고 감정에 넘친 노래가 완전히 실내를 압도했다.

"……사랑으로 눈먼 가슴은 진실 하나에 울지요……."

계속되는 열창에 표준범은 그저 넋을 잃고 서 있을 수밖에 없었다.

은은한 조명 아래 늘씬한 키의 김명주가 매혹적으로 흔드는 머리며 고운 어깨선을 어느 일류 무희나 가수가 흉내낼 수 있을까 하고, 표사장은 감탄했다.

"……그리움만 태우는 것이 사랑의 진실인가요, 그대……."

노래가 끝나자, 장내는 떠나갈 듯한 박수와 함께 앙코르 소리가 터져나왔다.

많은 남녀가 완전히 도취된 것 같았다.

명주는 노래를 마치자 마이크를 무대 위로 넘겨주고 재빠른 동작으로 달려나왔다. 그리고 기다리는 표사장의 손을 이끌고 총총히 밖으로 나섰다.

그때까지 실내는 박수와 앙코르 소리가 그치지 않았다.

두 사람이 엘리베이터 앞에 왔을 때는 마침 문이 열린 채서 있는 엘리베이터가 있었다. 명주는 표준범의 팔을 이끌고 재빨리 엘리베이터에 올라타고는 닫힘 버튼을 눌렀다.

"정말 놀랐습니다. 난 정신이 하나도 없어요. 내가 동화에 나오는 요정을 만난 건 아닌가요?"

명주는 그냥 생긋 웃기만 할 뿐 아무 말도 하지 않았다. 표준범은 그 모습에 더욱 정신을 빼앗겼다.

그들은 1층의 메인 로비로 올라왔다. 프런트 데스크에서 방 열쇠를 하나 받아 가지고 엘리베이터를 타고는 객실로 올라갔다.

객실은 아주 고급스럽고 아늑했다. 두껍고 무늬가 굵은 커튼 아래 정갈한 트윈 베드가 놓여 있었다.

표준범이 느긋하면서 흥분된 기분으로 윗저고리를 벗어 장속에 집어넣었다.

그는 될 수 있는 대로 그 행동을 천천히 하면서 명주의 반응에 신경을 곤두세웠다.

그가 옷을 걸고 돌아서자 명주가 기다렸다는 듯이 표준범의 가슴으로 파고들었다.

그들은 극히 자연스럽게 포옹했다.

표준범은 한 손으로 명주의 목 뒷덜미를 받치고 한 손으로는 명주의 허리를 감아 안은 채 천천히 입술을 포갰다.

"너무너무 예쁘군!"

그것은 표준범의 입에서 나온 감탄이었다.

"정말이에요?"

명주도 표준범과 입술을 맞댄 채 속삭였다.

그리고 이번에는 명주가 두 팔을 올려 표준범의 목에 매달렸다. 동시에 가느다란 허리를 한껏 앞으로 내밀어 표준범의 허벅지에 밀착시켰다. 젖가슴이 맞닿아 체온이 서로 전해졌다.

"땀 냄새 나죠?"

한참 만에 명주가 표준범한테서 떨어지며 말했다.

"샤워 좀 하고 올게요."

말도 채 끝내기도 전에 명주가 재킷을 벗어던졌다. 그리고 스커트도 거리낌없이 훌훌 벗어던졌다.

눈부시게 흰 속옷이 드러났다. 방안의 불빛이 반사되어 더욱 밝아진 것 같았다.

이번엔 그 슬립마저 거침없이 훌훌 벗어 침대 위로 던졌다.

아무도 없는 자기 방에서 옷을 갈아입을 때와 똑같은 행동이었다.

표준범은 그저 어안이벙벙해서 보고만 있었다.

명주의 이런 거리낌없는 행동이 습관이라는 것을 표준범은 한참 뒤에야 알았다.

명주는 학교 다닐 때 수영 선수였기 때문에 사람들 앞에서 트레이닝복을 벗고 수영복을 갈아입는 데 익숙해 있었다.

76

싱크로나이즈드 선수들은 물 속에서 발레를 하기 때문에 사람들 앞에서 춤을 추거나 옷을 입고 벗는 것을 거북스럽게 생각하지 않았다.

명주가 슬립을 벗어던지자 눈부신 여인의 나상이 나타났다. 브래지어와 팬티만 걸친 명주의 나상은 그가 지금까지 표준범을 매혹시킨 춤 솜씨나 노래에 비할 바가 아니었다.

옅은 핑크빛이 도는 윤기 흐르는 살결은 르노와르의 그림에 나오는 귀부인의 얼굴 빛깔처럼 고왔다.

약간 양끝이 처진 듯하고 조금 넓고 둥근 어깨선이 그가 싱크로나이즈드 선수임을 잘 나타내 주었다. 옥색 빛깔의 브래지어가 감당하기 힘겨운 듯 감싸고 있는 두 개의 유방은 글래머의 극치 같았다. 금방 탁 터져나올 것 같았다.

유연하면서도 근육이 단단히 당기고 있는 허리와 아랫배는 더욱 탄력 있는 육체로 보이게 했다.

그녀의 가장 걸작은 엉덩이와 두 다리라고 표준범은 생각했다.

한국 여인들한테서는 보기 드물게 위로 올라붙은 엉덩이는 그의 장딴지 각선을 더욱 멋있게 만들어 주었다.

브룩 실즈의 각선미를 바로 여기서 보는 듯하다고 표준범은 생각했다.

정신 없이 명주의 머리에서 발끝까지를 훑어보고 있던 표준범에게 더한층 놀랄 일이 벌어졌다.

명주가 갑자기 팽팽하던 브래지어의 끈을 풀어 버린 것이다.

꽉 죄어 있던 브래지어가 풀리자 풍만한 젖가슴이 꽃망울

터지듯 한껏 부풀었다.

희고 윤기나는 풋풋한 과일 같은 두 젖무덤에 핑크빛의 작은 앵두 두 개가 수줍음도 모르는 듯 당당히 솟아 있었다. 그 모습을 보는 순간 표준범은 거의 현기증을 일으킬 것 같았다.

야릇하게 일그러진 표준범의 표정을 흘깃 읽은 명주는 스스로 너무했다고 생각한 듯 두 손으로 유방을 감싸쥔 채 옆으로 돌아섰다.

"무슨 남자가 신사답지 못하게 그래요? 숙녀 옷 벗는 모습을 왜 그렇게 뚫어져라 지켜보고 있어요? 여자 옷 벗는 거 처음 봤어요?"

명주가 물기에 축축이 젖은 목소리로 말했다. 말은 그랬지만 추호도 나무라는 투는 아니었다.

"미…… 미안합니다. 너무 아름다워서 그만……. 미 미안합니다."

표준범은 말을 더듬으며 비스듬히 돌아섰다. 그리고 시선을 천장으로 두고 뒷짐을 졌다.

여자들과 하룻밤 즉석 사랑을 나누는 데는 이력이 난 표사장이다.

닳을 대로 닳은 그 방면의 여자들로부터 오피스걸에 이르기까지 뭇여자를 다 다루어 본 표사장이다.

자기의 무식한 자랑대로 여자라면 모두 자기 손아귀에서 놀아난다고 으스대던 표사장이었다.

그런데 어쩌면 풋나기 같은 김명주한테 넋을 잃고 완전히 시골뜨기가 되어 버린 것을 한탄하지 않을 수 없었다.

그뿐 아니라 그녀 앞에서 말까지 더듬게 되었다.

"먼저 샤워 좀 하겠어요. 디스코 추고 난 뒤 시원한 물벼락 맞는 재미, 그 재미 아셔요? 랄라 랄라 랄라……"

김명주는 콧노래까지 부르며 욕실로 들어갔다. 그리고 욕실 문을 닫을 생각도 않고 샤워 꼭지를 틀었다.

쏴 하는 물소리가 방안에 가득 찼다. 표준범은 열려진 욕탕 문으로 안을 들여다볼 생각도 못 하고 침대 위에 그냥 풀썩 주저앉았다. 명주한테 완전히 압도당한 자신이 비굴한 사람처럼 생각되었다.

한참 만에 샤워 소리가 그치고 다시 콧노래 소리가 들리더니 명주가 나왔다.

흰 타월로 가슴과 아랫도리를 가리고 있었다. 물에 젖은 머리가 더욱 까맣게 보였다.

"표사장님, 샤워 안 하셔요? 참, 시원해요. 아이, 시원해."

명주가 고개를 흔들어 긴 머리를 치켜올리며 말했다.

"예, 나도 샤워 좀 하고 올게요."

표준범은 동상처럼 굳은 모양으로 앉아 있다가 벌떡 일어나 욕실로 뚜벅뚜벅 걸어갔다.

"호호호, 옷을 입고 샤워를 할 작정이셔요?"

"예? 참 그렇군요."

표사장이 와이셔츠를 벗고 바지를 벗었다. 그리고 욕실에 들어가서 그냥 물만 덮어쓰고 얼른 나왔다.

"어때요, 시원하시죠?"

명주는 어느새 맥주 한 병을 시켜 컵 두 잔에 따르고 있었다.

"샤워한 뒤에는 맥주 맛이 최고예요."

명주는 가슴에 그냥 타월을 가린 채 조그만 소파에 앉아 맥주를 마셨다. 표사장도 대강 물기를 닦은 뒤 맥주 한 잔을 죽 들이켰다.

그리고는 명주를 번쩍 안아다가 침대 위에 동댕이치듯 눕혔다.

그 바람에 명주가 감고 있던 타월이 벗겨져 완전히 알몸이 되고 말았다. 표사장도 타월을 벗어던지고 침대로 올라와 그 널찍한 어깨로 명주의 가슴을 눌렀다.

"천천히요. 너무 서둘지 말아요."

명주는 부드럽게 표사장을 받아들이며 나직이 말했다.

"우리 결혼합시다."

표사장이 한 손으로 명주의 유방을 더듬으며 갑자기 엉뚱한 말을 했다.

"표사장님, 그 말 책임질 수 있어요?"

명주가 또렷한 목소리로 말했다.

"물론이지."

"거짓말 말아요. 그 맘씨 봐드릴 테니까 부담감 갖지 않아도 돼요."

"거짓말 아닙니다. 정말 우리 결혼합시다. 난 명주씨한테 반했어요."

표사장은 자기 말대로 1백 퍼센트 거짓말만 하는 것은 아닌 것 같았다. 아내와 이혼할 수만 있다면 결혼할 수도 있다는 생각이 전혀 없는 것은 아니었다.

"이봐요, 우리가 만난 지 아직 하루도 안 지나갔어요. 표사장님은 나에 대해서 뭘 안다고 생각하셔요? 아무것도 모르죠?"

"왜 모릅니까. 춤 잘 추고 노래 잘 부르고, 기막히게 미인이
고……."

"또 뭘 아세요?"

"골프 잘 치고, 시원시원하고."

"그 밖에 또 뭘?"

"그 외에도……."

표준범은 말이 막힌 모양이다. 이번에는 유방을 더듬던 왼
손이 아래로 미끄러져 내려갔다. 마침내 손은 매끄러운 피부
와는 다른 까칠한 풀밭에 닿았다.

"그 정도 아는 여자하고 일생을 같이 보낼 수 있다고 생각
하세요?"

"안 될 것도 없잖아요. 옛날 우리 조상들은 얼굴도 못 보고
혼인들을 하지 않았어요?"

"그리고 나도 표사장님에 대해서 아는 게 아무것도 없어요.
골프 솜씨가 좋다는 것밖에는……."

명주는 그렇게 말하면서 자기를 누르고 있는 표준범의 어깨
를 두 손으로 감싸안았다.

"현대인의 만남은 서로를 탐험하는 일이라고 누가 말했어
요. 우리도 지금부터 서로를 탐험하는 거예요."

명주가 표준범의 입술을 더듬으며 신음처럼 토했다. 허리가
꿈틀거리기 시작했다.

"예, 탐험이라구요?"

표준범은 열심히 명주의 전신을 탐험하면서 내뱉었다. 준범
은 솔직히 말해 그 말뜻도 잘 몰랐을 뿐 아니라 그 말이 전혀

맘에 들지도 않았다.

"우린 서로의 마음을 탐험하는 거예요. 마음 속으로 들어가 기 위해서는 우선 육체부터 탐험하는 거예요."

명주가 더욱 몸부림치기 시작했다. 준범은 몽롱한 의식 속 에 등에 기분 좋은 땀이 배는 것을 느꼈다.

트윈 베드의 한쪽은 텅 빈 채 두 사람의 축제는 한쪽 침대 에서만 격렬했다.

신정 연휴. 속초의 겨울 밤은 뜨겁게 출렁거렸다.

두 사람의 첫 만남은 이렇게 시작되었다. 그때 명주의 나이 는 스물넷. 표준범은 마흔일곱이었다. 갓 성공한 중년의 사업 가와 한창 나이인 발랄한 젊은 처녀와의 어울리지 않는 만남 이었다. 그리고 만나자마자 채 하루를 넘기지 못하고 불륜의 관계가 시작된 것이다.

"그 명주라는 여자도 보통내기는 아니구먼. 처음 만난 남자 와 그럴 수가 있단 말인가?"

추경감은 강형사의 이야기를 다 듣고 나자 몹시 불쾌한 표 정으로 말했다.

"요즘 젊은이는 옛날과 다릅니다. 경감님이나 우리들의 세 대는 전 세대가 아니라 전전 세대랍니다. 스피드와 모험, 그 것이 요즘 젊은이의 특징이랍니다. 물론 다 그렇다는 것은 절대 아닙니다만……. 명주와 표준범의 처음 관계를 보십시 오. 오히려 양심의 가책 같은 것이 있어서 결혼하자 어쩌자 하고 고리타분한 이야기를 먼저 꺼낸 것은 표준범 쪽이 아 닙니까? 그러나 김명주는 그런 것쯤은 웃기는 도덕이라고 생각하고 있답니다."

추경감은 고개를 끄덕이며 담배를 깊이 빨아들였다. 처음 표사장의 집을 방문했을 때 2층 방에서 그 집 딸인 성희와 혁태가 태연히 탈선하고 있던 모습이 눈에 선했다.

9

성희의 각선미

여름 스키장에서 이틀을 보낸 성희는 혁태를 버려둔 채 혼자 차를 몰고 집으로 와 버렸다.

혁태가 고미화와 어울리는 것이 보기 싫은 것이 아니라 이틀 동안 함께 붙어 지내고 나니까 싫증이 났다고 하는 것이 옳을 것이다.

성희는 며칠 동안 집에 틀어박혀 꼼짝하지 않다가 토요일 오후 정원으로 나갔다.

풀장에 물이 없었다. 성희는 곁에 있는 샤워실 벽의 스위치를 넣었다. 풀장에 물이 들어차기 시작했다. 이 풀장은 물이 가득 차는 데 두세 시간은 걸렸다. 그리고 물이 일정한 수위까지 차면 자동으로 수도가 잠기게 되어 있었다.

풀에 물이 차는 동안 수영복 차림의 성희는 잎이 넓은 오동나무 그늘의 잔디에 팔깍지를 끼고 누워 하늘을 쳐다보고 있었다. 수채화처럼 맑고 짙푸른 하늘에 눈부시게 하얀 구름이 유유히 흐르고 있었다.

성희는 파아란 하늘을 한참 보고 있노라니 웬일인지 두 눈에 눈물이 주룩 흘러내렸다. 아무런 슬픈 추억도 그에겐 없었다. 새어머니가 의문의 죽음을 당한 지 며칠 되지 않지만, 그녀를 위해 눈물을 흘릴 성희는 아니었다. 자기를 낳아준 어머니가 아버지와 헤어지고 지금은 부산에서 혼자 살고 있었다. 그러나 그 어머니를 생각해서 눈물이 난 것도 아니었다.

정혁태를 비롯해 그 주변에서 수없이 그녀와 잠자리를 같이 해준 남자들을 생각하는 것도 아니었다.

그냥 이유 없이 눈물이 흘렀다. 탓이라면 오직 너무 파아란 하늘 탓일 뿐이었다.

"아가씨, 물 다 찼어요."

그때 옆에서 누군가가 말했다. 성희가 누운 채로 고개를 돌려 보았다.

최씨였다. 이 집 바깥 일을 보아주고 있는 아버지의 비서격인 최병호. 무뚝뚝하고 말이 없는 40대 초반의 사나이다. 우락부락하게 생긴 얼굴이지만 악의는 없어 보이는 인상이었다. 그의 과거는 아무도 몰랐다. 학식이 얼마나 되는지, 무얼 하며 청춘을 보냈는지도 몰랐다. 아버지 표준범만이 아는 사나이였다.

"최씨, 여기 좀 와봐요."

돌아서서 가려는 최병호를 성희가 불러세웠다.

"예? 저 말씀인가요?"

"여기 최씨 말고 또 누가 있어요?"

성희가 신경질적으로 쏘아붙이자, 최병호는 주춤한 채 성희를 내려다보며 섰다.

비키니 차림의 탄탄한 주인집 처녀의 반라를 보기가 참으로 민망한 표정이다. 그러나 허연 허벅지를 흘금흘금 훔쳐보는 그의 눈은 신분에 걸맞지 않게 탐욕스러웠다.

"아가씨, 무슨 일인지요?"

최병호는 스스로 민망하게 생각한 듯 두 손을 앞으로 모으고 말했다.

"아저씨, 팔힘 세지요?"

성희는 갑자기 생긋 웃으며 비스듬히 일어나 앉았다.

"예? 팔힘요? 보통은 됩니다만…….''

영문을 몰라하는 최병호를 짓궂은 표정으로 한참 쳐다보던 성희가 뜻밖의 제안을 했다.

"내 다리 안마 좀 해주지 않겠어요?"

"예?"

최병호가 기겁을 했다.

"내 다리 예쁘죠?"

성희가 대답을 강요했다.

"말해 봐요. 예쁘죠?"

"예? 아, 예."

최병호가 부인도 시인도 아닌 대답을 했다.

"그 여자보다 예뻐요?"

"예? 그 여자라뇨?"

"왜 이렇게 시치밀 뚝 떼요. 죽은 여자 말예요."

"사모님 말씀인가요?"

"그래요. 그 여자 다리보다 내 다리가 어때요?"

"아가씨도 별걸 다 물으십니다. 제가 언제 사모님 다리를 봤어야 말이죠."

최병호도 이제 배짱이 생긴 말투였다.

"거짓말 말아요. 그 여자가 수영할 때 저기서 흘금흘금 훔쳐본 것 내가 모를 줄 알아요."

"예? 제가요? 사람 잡을 말씀 그만하세요."

최병호가 다시 기겁을 했다.

"저기 샤워실에서 수영복 벗어던지고 샤워하는 모습까지 훔쳐보고선 뭘 시치밀 그렇게 떼세요? 후후후."

성희는 손으로 입을 가리면서 자지러지듯 웃었다.

"처 천만의 말씀입니다."

최병호도 약간 웃음을 띠었다. 시인한다는 표정이었다.

"어때요? 내 다리가 더 예뻐요?"

성희가 다시 다그쳤다. 자기 다리가 훨씬 예쁘다는 대답을 꼭 듣고 싶은 모양이었다.

"그야 아가씨야 한창 나이 아닙니까. 훨씬 더 예쁘고말고요."

최병호가 듣고 싶은 말을 해주었다.

"그럼 빨리 장딴지 좀 주물러 줘요."

성희가 엎어지며 말했다. 빨리 하라는 듯 발목을 들고 흔들었다.

최병호가 할 수 없다는 듯이 무릎을 꿇고 앉아 성희의 장딴지를 주물렀다.

긴장해서 땀이 잔뜩 밴 손이 약간 떨리고 있었다.

"이봐요, 최씨."
"예?"
"그 여자 혹시 최씨가 죽인 것 아녜요?"
"옛?"
성희의 그 말에 최병호는 고압 전류에 감전이라도 된 듯 비명을 질렀다.

10
위장 이혼

"표준범이란 사람, 참 고약한 사람이더군요."

강형사가 출장에서 돌아오자마자 땀에 찌든 세면 가방을 동댕이치며 말했다. 강형사는 표준범의 전처인 오영자를 만나러 부산 출장을 다녀오는 길이었다.

"그래, 뭐 좀 캐낸 게 있나?"

들고 있던 신문에서 시선을 떼지 않은 채 추경감이 강형사에게 한 말이었다.

"반장님?"

경감이 자기를 거들떠보지도 않자, 강형사가 볼멘 소리로 불렀다.

"왜? 어서 계속해 봐."

추경감은 그러면서도 고개를 돌리지 않았다. 그런 추경감의 모습을 불만에 찬 시선으로 한동안 바라보던 강형사도 할 수 없다는 듯 의자에 털썩 주저앉으며 말을 계속했다.

"표준범이란 녀석, 아주 치사한 사나이랍니다. 속물 중에도 속물이더군요."

강형사가 흥분하여 욕설까지 섞어 가면서 그의 이혼 경위를 들려주었다.

표준범은 김명주를 신정 휴가에서 만난 뒤 사람이 완전히 달라졌다. 김명주와 만나자마자 불꽃 튀는 사랑놀음에 빠져든 표준범은 김명주 육체의 포로가 되었다.

그들은 설악산에서 돌아온 후에도 다시 유성으로, 수안보로 남의 눈을 피해 밀애의 나날을 즐겼다.

그러나 원래 시골 태생으로 문맹에 가깝도록 무지몽매한 표 사장의 아내 오영자는 그것을 전혀 눈치채지 못했다.

남편이 집을 비우면 그냥 바빠서 그러려니 하고 더 이상 따지거나 캐묻지 않았다. 남편의 일에 손톱만큼이라도 간섭하는 것을 부덕한 아내라고 생각했기 때문이었다. 무조건 남편이 하는 일이면 모든 것이 다 옳은 일이라고 굳게 믿는 착한 아내였다.

표준범은 그런 착한 아내를 쫓아내고 김명주를 대신 집 안방에 들여 놓을 궁리를 슬슬 하기 시작했다.

마침내 기막힌 꾀를 생각해낸 표준범은 아내 오영자한테 슬그머니 늑대의 꼬리를 내밀었다.

"이봐, 당신 내 사업을 좀 도와줘야 되겠어."

표준범이 평소와는 너무 다르게 부드러운 목소리로 말했다.

"예? 제가요? 저 같은 무식한 여자가 어떻게 당신 사업을 도와주어유?"

　오영자는 남편으로부터 뜻밖의 친절한 음성을 듣자 눈을 크게 뜨고 반가운 목소리로 말했다. 20년 가까이 살았어도 처음 듣는 음성이었다.

　"아니야, 이번은 당신이 꼭 이해를 해줘야겠어."

　표준범은 아내의 어깨를 가볍게 싸안으며 더욱 부드러운 목소리로 말을 계속했다.

　"내가 일본에 가서 한 석 달 동안 있어야겠는데 말야, 일본에서 보일러 부속품을 사들여 납품을 하면 큰 돈을 벌 수 있거든. 그래서 일본 메이커와 엘시까지 열었는데 말야."

　"예? 열쇠까지 열었다고요? 뭘 잠가 두었었나요?"

　"이런 무식한…… 열쇠가 아니라 엘시(L/C)라는 거야. 무역하기 위한……."

　"아, 예, 무식해서 미안해유."

　오영자는 진정으로 미안한 표정을 지었다. 유식하고 성공한 남편이 더욱더 훌륭하게 여겨졌다.

　"그런데 말야, 일본서 석 달씩이나 있자면 비자를 받을 수가 없거든."

　"비자를 못 받는다구유? 그게 그렇게 비싼감유?"

　"이 바보야, 비자란 돈 주고 사는 게 아니라, 그 나라에 있어도 좋다는 허가증이야!"

　표사장은 짜증이 났지만 꾹 참고 차근차근 이야기를 계속했다.

　"꼭 한 가지 방법이 있기는 있는데 말이야……."

　"예? 방법이 있다구유? 그럼 그 방법을 써 보세유."

　오영자는 안타까운 듯 표사장의 얼굴을 들여다보며 진지하게 말했다.

"그런데 그 방법이 말야……."

표사장은 한참 뜸을 들이며 아내의 표정을 흘금흘금 살폈다.

"그 방법이란, 내가 재일 동포 여자하고 가짜로 결혼하는 방법인데 말야……."

"예? 당신이 일본 여자하고 결혼을 한다구유?"

너무 놀란 나머지 오영자는 얼굴이 파랗게 질린 채 자리에서 벌떡 일어서며 소리를 질렀다.

"아니, 왜 이리 놀라? 방정맞게. 결혼은 누가 결혼을 한단 말야. 그냥 가짜로 그렇게 꾸미는 거지. 결혼한 것처럼 서류만 꾸미면 일본에 장기 체류를 할 수 있는 비자를 얻는단 말이야."

"그러면 뭔가 그 텔레비전 연속극에서 자주 하는 위정 결혼을 한다 이 말인가유?"

"위정 결혼이 아니라 위장 결혼이란 거야. 귀는 살아 가지고……."

표사장이 아내를 흘겨보았다.

"하여튼 재일 동포인지 왜년인지 하고 가짜로 결혼한다 이 말씀 아니어유?"

"말하자면 그렇지. 하지만 당신 허가도 없이 아무리 가짜지만 그런 짓이야 할 수 있나. 돈이 없어 회사 문을 닫으면 닫았지……."

"예? 회사 문을 닫아유? 그건 안 돼유. 당신이 얼마나 애써서 일군 재산인데 문을 닫아유."

"하지만 아무리 가짜라도 당신이 있는데…… 하긴 뭐 석 달만 지나면 도로 없었던 것처럼 깨끗하게 되지만……."

"그럼 그렇게 허세유. 저야 뭐 어떻게 돼도 상관없어유. 그까짓 거 가짜로 석 달만 하는 건데 뭐 어떻겠어유?"

오영자는 말은 그렇게 했지만 퍽 섭섭한 눈치였다.

"여보, 정말 그렇게 해볼까? 그렇게 해서라도 회사를 살리는 게 나을까?"

표사장의 눈이 반짝했다.

"그런데 말야, 그렇게 하자면 일단 호적에서 당신 이름을 파내놔야 하거든. 말하자면 가짜로 이혼을 해놔야 재일 동포 여자의 이름이 내 호적에 오를 수 있단 말이야."

"뭐라구요? 그럼 나와 당신이 호적에서 이혼을 해야 한단 말이어유?"

오영자의 눈이 둥그래졌다.

"그거야 뭐 가짜로, 서류상으로 그렇게 하는 거니까. 당신이 구청에 가서 거짓말로 이혼했다고 말만 하면 되는 거야. 석 달만 지나면 원래대로 해놓을 테니까."

"싫어유. 그래도, 아무리 거짓부렁으로 하는 짓이라도 이혼 같은 그런 끔찍한 짓은 싫어유."

오영자는 단호하게 이를 악물고 거절했다.

표사장은 그 이상 아무 말도 하지 않았다.

그런 일이 있은 다음날 마음씨 착한 오영자가 표사장한테 다시 그 일을 꺼냈다.

"저어, 그러니까 석 달 동안만 호적에서 내 이름을 빼놓으면 바잔지 비전지 하는 걸 얻을 수 있다 이거지유?"

"응? 그럼, 그렇구말구."

표사장은 눈이 번쩍 뜨이는 모양이었다.

"나 대신 가짜로 당신 아내가 될 재일 동폰지 왜년인지 하
는 여자는 구해 놨어유?"

"그럼, 마침 여기 사업 때문에 나와 있는 일본 회사의 직원
여동생이 그렇게 해주겠대."

"그 여자 예뻐유?"

오영자는 거의 울상이 되어서 말했다.

"에이 예쁘긴, 내가 뭐 보기나 했나. 그냥 이름만 빌리는 건
데."

"그럼, 그렇게 해유. 우리 회사를 살리는 일인데 그까짓 거
뭐 내가 못 하겠어유. 당신이 날 버리지만 않는다면 무슨
짓이든 다 할 수 있어유."

그렇게 해서 두 사람은 합의 이혼서에 도장을 찍고 부부가
구청에 출두해 서명 날인을 했다. 비록 가짜라고 하지만 집에
돌아오면서 오영자는 한없이 눈물을 흘렸다. 마치 진짜로 표
사장한테 버림받은 것같이 생각된 모양이었다.

그러나 그 일은 마침내 진짜가 되고 말았다.

표사장은 아내로 호적에 올려 놓은 김명주를 가끔 집으로
데리고 왔다.

처음엔 그냥 데리고 와서 손님처럼 오영자한테 인사를 시켰
지만 세월이 갈수록 태연하게 아내처럼 굴었다.

간다는 일본은 가지도 않고 서너 달이 지나도 호적 고칠 생
각을 하지 않았다.

호적을 고치기는커녕 서너 달이 지나자 이번엔 아내 오영자

를 따로 나가 살도록 요구했다.

"당신은 이미 이 집 호적에 없는 여자란 말이야. 그래도 내
가 살아온 정리를 생각해서 버리지는 않을 테니 아뭇 소리
말고 시키는 대로 하란 말이야."

찬바람나는 표사장의 말에 오영자는 그저 한숨과 눈물만을
찍어냈다. 무식해서 이런 경우 어떻게 해야 하는지도 알지 못
했다.

친정에도 피붙이라고는 아무도 없어 누구하고 상의할 수가
없었다.

그래서 마침내 남편이 마련해 준 조그만 아파트 한 칸으로
쫓겨나고 말았다.

나중에야 남편을 야속하게 생각했다. 그리고는 아파트를 팔
아 멀리 떨어진 부산으로 내려갔다. 그곳에 조그만 구멍가게
를 차리고 혼자 살았다.

외동딸인 성희는 이런 과정을 학교 다니면서 뻔히 보고 자
랐다. 그러나 아버지나 어머니 일에 한마디 말을 하지 않았다.
그 대신 그녀도 자기 일에 대해 일체 간섭하지 못하게 했다.

남학생들과 어울려 다니든 말든, 집에 며칠씩 들어오건 말
건 일체의 간섭을 받으려고 하지 않았다. 완전히 아버지를 무
시하고 살았다.

어머니 대신 집에 들어온 명주에 대해서도 전혀 어머니라고
여기지 않았다. 그냥 '그 여자'라고만 생각했다. 다른 사람한
테도 '아버지의 여자'라고만 이야기를 했다.

"그럼 성희는 부산 사는 생모한테는 자주 다녔나?"

이야기를 다 듣고 난 추경감이 강형사를 보고 물었다.

"가끔 다니긴 한 모양인데, 오영자는 통 딸에 대해 이야기를 하지 않더군요."

"세상에 그렇게 몹쓸 남편도 다 있다니! 표사장이란 사람, 생김새가 어쩐지 기분 나쁘더라니깐. 고얀 놈, 에이 고얀 놈."

추경감은 분에 못 이겨 계속해서 고얀 놈이란 욕만 퍼부었다.

"그러면 오영자의 김명주에 대한 저주심은 극에 달해 있었겠구먼……?"

"그렇다고 생각해야죠. 자기 남편을 뺏은 여자니까 좋게 생각할 리야 없지 않습니까?"

"그럼 오영자가 김명주를 살해했을 가능성은 없을까?"

추경감이 갑자기 눈을 반짝이며 말했다.

"아니, 그렇게 착한 여자가 사람을 죽였겠습니까? 그보다도 전 오영자의 원래 위치를 찾아주고 싶던걸요."

"원래의 위치를 찾아주다니?"

"소송을 해서라도 표사장의 아내 자리에 도로 데려다 놓고 싶다는 말씀입니다. 세상에 그렇게 악독한 남편도 다 있습니까? 조강지처를 버려도 분수가 있지. 표준범 그놈이 맨주먹으로 아내를 데려다가 근 20년을 식모처럼 부려먹고, 이제 살 만해지니까 속임수를 써서 쫓아내 버리다니. 세상에 사람의 탈을 쓰고 그럴 수가 있습니까?"

강형사가 흥분해서 목소리를 높여 가며 떠들었다. 추경감은 미소를 지은 채 아무 대꾸도 하지 않고 듣고만 있었다.

11
숨가쁜 햇볕

표성희의 발목을 주무르고 있는 최병호의 이마에는 땀까지
송송 배었다.

"최씨, 어디 말해 봐요, 솔직하게. 난 최씨 편이란 말이야.
그 여자 최씨가 이거 한 거지?"

성희는 손가락 하나로 목을 자르는 시늉을 해보이며 최병호
를 은근한 눈초리로 바라보았다.

"사람 잡을 말씀 마십쇼. 제가 어떻게 감히……."

최병호는 떨리는 손으로 성희의 장딴지를 슬금슬금 주무르
며 말했다.

"어쨌든 저 나무 뒤에 숨어서 그 여자가 옷 갈아입는 장면
같은 건 훔쳐본 것 아냐?"

성희가 신경질적으로 빽 소리를 질렀다.

"예? 예, 그야 지나가다가 눈에 띄니깐 그냥……."

최병호가 우물쭈물하며 성희를 겁에 질린 얼굴로 쳐다보았다.

"이거 놔요. 다음엔 이쪽 다리예요."

표성희는 오른쪽 다리를 최병호의 두 손에서 확 빼내고 왼쪽 발을 들어 최병호 눈앞에 디밀었다.

엉덩이를 풀밭에 붙이고 두 팔을 뒤로 젖혀 팔꿈치로 풀밭을 짚은 채 구부린 두 다리를 최병호 앞에 내밀고 있는 자세가 되었다. 그 바람에 성희의 두 무릎이 자연스럽게 열리고 수영복의 얇고 작은 자락이 비너스의 언덕을 겨우 덮은 모양이 되었다. 볼록한 둔덕 밑으로 희고 팽팽한 두 개의 허벅지가 양쪽으로 시원하게 쭉 뻗어 있었다.

최병호는 눈이 부셔서 차마 볼 수 없는 태양을 쳐다보듯 표성희의 무릎 사이를 흘깃 보며 땀을 흘렸다.

성희의 발목을 주무르는 손이 더욱 떨리고 있었다.

"그날 밤 최씨는 어디 있었어요? 솔직하게 말해 봐요."

"아가씨, 이건 너무 억울합니다. 전 저녁을 먹고 난 뒤 방에서 텔레비전만 보다가 그냥 잤습니다. 새벽에 박군이 돌아온 뒤에야 잠에서 깨어났습죠."

박군이란 표사장의 운전기사를 말한다. 최병호는 박군과 같이 1층 구석에 있는 방을 쓰고 있었다.

"거짓말 말아요. 내가 저쪽 벤치에 앉아 땀을 식히고 있었는데…… 그때 최씨는 런닝셔츠 바람으로 정원에 나와 저기 샤워실을 흘깃흘깃 어슬렁거리지 않았어요? 혹시 그 여자가 거기서 또 수영복이나 갈아입지 않나 하고 몸매를 훔쳐보려고 그런 거죠, 엉큼하게? 그때가 몇 신지나 알아요? 열두시가 다 되어서였단 말입니다. 내 말이 틀려요?"

표성희가 최병호 앞에 내민 발목을 흔들어 가며 날카로운 목소리로 따졌다.

"그거야 더우니까 자다가 잠깐 바람 쐬러 나갔던 것 같은데요."

최병호가 어물어물하면서 시인했다.

"우리 집처럼 에어컨이 잘 돌아가는 집에 살면서 덥긴 뭐가 덥단 말예요?"

표성희가 쏘아붙였다.

"그럼 아가씨는 왜 땀을 식히러 나왔었나요?"

궁지에 몰린 최병호가 역습을 했다.

"호호호, 이제 못 하는 소리가 없군요. 남이야 땀을 식히든 말리든 무슨 참견이얏!"

표성희가 더욱 높은 목소리를 내뺼으며 발목을 흔들어댔다.

그때였다. 누군가가 최병호의 멱살을 쥐고 일으키며 주먹을 날렸다.

퍽.

둔탁한 소리와 함께 최병호가 얼굴을 감싸쥐었다.

그것은 정혁태였다. 성희와 최병호는 서로 따지고 대들고 하느라고 정혁태가 들어오는 것을 미처 보지 못했다.

"아이쿠!"

최병호가 주저앉았지만, 혁태는 그치지 않고 이번에 발길질을 해댔다.

"엉큼한 녀석 같으니. 대낮에 집안에서 무슨 짓이야, 이게!"

혁태가 씩씩거리며 최병호를 계속 두들겨댔다.

"혁태씨, 그만둬요."

보고만 있던 성희가 사태를 짐작한 듯 정혁태를 말렸다.

최병호가 표성희의 발목을 양손으로 주무르고 있을 때, 표성희가 화를 내며 발을 흔들어댔었다. 그 모양을 멀리서 보면 최병호가 표성희를 풀밭에 넘어뜨리고 어떻게 하려는 모습과 비슷하게 보였을 것이다.

대문에 들어선 혁태가 이 모습을 보고 최병호가 성희를 어떻게 하려는 걸로 착각하고 다짜고짜 주먹질부터 한 것이다.

"최씨는 지금 내 발목을 주무르고 있었단 말야. 정형은 사정도 모르고 주먹질부터 해대? 법과 대학생이 법보다 주먹이 가깝다는 걸 시험해 보인 거야?"

그때야 정혁태는 사정을 파악한 듯 멋적어했다.

"하지만 대낮에 수영복을 입고 그게 무슨 꼴이람……?"

"아쭈? 정형이 뭐 내 허즈라도 되는 거야?"

그러면서도 성희는 그 말이 가히 기분 나쁘다고는 생각치 않는 모양을 했다.

"최형, 미안해요."

정혁태가 최병호를 일으켜세웠다. 최병호는 얻어맞은 턱이 몹시 아픈 듯 오만상을 찌푸리고 일어나서는 비실비실 거실 쪽으로 사라졌다.

"웬 성질이 그렇게도 급해? 정혁태답지 않게……."

성희는 비록 오해 때문이었지만 자기를 위해서 정혁태가 주먹까지 휘둘렀다는 것이 흐뭇한 모양이었다.

성희는 미소를 지으며 손을 내밀었다. 혁태가 성희를 일으켜세웠다. 성희는 아무 말도 않고 혁태의 손을 이끌고 집안으

100

로 들어갔다. 2층의 자기 방까지 들어가서는 문을 잠갔다.

그리고는 마치 혼자 있듯이 거침없이 수영복을 벗어던졌다. 그리고 혁태 앞으로 다가서며 말을 걸었다.

"정형도 빨리 벗어요."

혁태가 멋적어하면서 셔츠 단추를 풀었다.

"왜 형사들이 나를 따라다니는지 모르겠어. 성희네 집 앞까지 나를 미행해 오는 것 같은데……."

혁태가 애써 태연한 척 말했다. 그러나 그 음성 속에는 어딘지 불안이 스며 있었다.

"그야 정형이 살인범이니까 따라다니는 것 아니겠어?"

성희는 담담한 목소리로 그렇게 말하며 두 손을 뻗어 혁태의 목을 안았다.

"내가 김명주를 죽였다고 성희는 생각하고 있는 거야?"

혁태가 목 뒤로 돌아간 성희의 양팔을 도로 풀어내면서 말했다.

"그럼 누구겠어?"

성희는 도로 혁태의 목을 감으면서 말했다.

"어째서 내가 죽였지?"

"그야 여러 가지 이유가 있겠지. 김명주는 고미화의 친구. 고미화는 정혁태의 옛날 사랑. 참, 김명주가 정형의 첫사랑이었는지 모르잖아?"

성희는 그런 희한한 생각을 왜 이제야 해냈는지 모르겠단 표정으로 혁태를 쳐다보았다.

"흠!"

정혁태는 부인도 시인도 아닌 묘한 신음 소리 같은 것을 토해냈다. 그리고는 발가벗은 성희의 어깨를 한 손으로 싸안았다.

"왜 대답을 못 해요? 정형과 고미화는 도대체 어떤 사이야? 요즘 며칠 동안 어디 갔다 왔어? 고미화하고 어디 다녀온 것 아냐? 고미화의 적인 김명주는 죽고 없으니 이젠 터놓고 놀아도 된다 이 말인가?"

성희는 말이 안 된다고 생각하면서도 마구 떠들어대며 질문을 했다.

그러는 동안에도 성희는 혁태의 옷 벗는 일을 거들어주었다. 그리고 혁태의 얼굴에 자기 얼굴을 계속 비벼대면서 질문을 퍼부었다.

정혁태는 성희의 그런 말을 거의 귓전으로 흘러 보냈다.

옷을 다 벗고 난 혁태는 성희를 번쩍 안아다가 침대 위에 동댕이쳤다.

"싫어. 땀이 나서 침대는 싫단 말야."

성희가 발딱 일어났다. 볼륨 있는 두 개의 유방이 무게를 느낄 정도로 출렁거렸다. 매우 육감적이었다.

성희는 침대에서 내려와 장판 바닥에 드러누우며 혁태의 손을 잡아당겼다.

혁태는 아무 말도 하지 않고 천천히 성희 가슴 위에 체중을 실었다.

"그 동안 내가 보고 싶었어?"

혁태가 긴 입맞춤을 끝내고 숨을 몰아쉬며 밑에 있는 성희를 보고 천천히 물었다.

"피이, 정록이나 봉규 같은 튼튼한 애들이 부지기수로 있는

데 자기 생각만 했을 것 같아요?"

성희가 두 손으로 혁태의 허리에 깍지를 끼고 잡아당기며 말했다.

말이 혀끝에서 나오지 않고 목구멍 깊숙이에서 거친 숨결과 함께 토해져 나왔다.

"고미화와 지리산 갔다 왔지."

혁태도 거친 숨결 틈에 말을 섞어서 내뱉었다.

"단둘이?"

"그 그럼."

"재미있었겠는데."

그 말과 함께 성희가 갑자기 몸을 비틀어 버렸다. 그와 동시에 두 손으로 혁태의 가슴을 떠밀어 버렸다. 혁태는 옆으로 나둥그러지며 벽 쪽으로 구르고 말았다.

"비겁한……."

성희가 무릎을 포개고 누운 채 말했다.

"이러지 마."

그러나 혁태는 단념하지 않고 다시 성희의 얼굴에 자기 얼굴을 덮었다. 그리고 다시 처음부터 시작했다.

이번엔 성희도 아무 말 하지 않았다. 두 손으로 혁태의 머리를 소중한 보물이나 되는 것처럼 밑에서 싸안고 있었다. 대낮의 햇살이 커튼을 붙들고 격렬한 춤을 추었다.

12
최고급 여인

표준범 사장의 주변을 캐고 있던 추경감은 예리한 촉감으로 장마담을 포착했다. 살롱을 경영하고 있어서 장마담이지 사실은 여사장님이었다. 그녀의 본명은 장씨가 아니라 기씨였다. 기문숙. 나이는 서른둘, S대학 성악과를 졸업한 인텔리 여성이며, 예술가로도 알려져 있었다.

대학 다닐 때 알게 된 고관의 아들과 결혼한 뒤 미국에 건너가 4년 동안 살다가 그곳에서 파경에 이르렀다. 경영학을 공부하는 고관의 아들은 미국에 가서 공부에만 파묻힌 채 기문숙을 완전히 뒷바라지하는 아줌마쯤으로 취급했다. 꿈 많은 젊은 성악가는 실망에 젖은 나머지 이국에서의 방황이 시작되었다. 마침내 미국 남자 대학생들과 어울려 다녔다. 소중히 여겨 오던 정조조차 악수 한 번 하는 정도로 쉽게 마천루의 술집에서, 아파트에서 흩어 버렸다.

방만한 미국 생활이 4년 사이에 뼛속까지 스며들어 꽁생원 같은 남편과는 함께 살 수 없다는 판단을 내렸다. 그녀는 쉽게 남편과 이혼했다. 그리고는 한동안 맨하탄의 이 골목 저 골목의 술집에서 노래를 부르며 세월을 보냈다.

그녀는 미국 생활의 무대를 더욱 넓혀 마침내는 한국 사람들로 한 사회를 이루다시피 한 로스엔젤레스로 무대를 옮겼다.

그녀의 뛰어난 미모와 지성미가 풍기는 말솜씨, 그리고 비범한 노래는 그곳 한인 남자들을 사로잡기에 알맞았다.

그녀는 로스엔젤레스 한인 상류 사회에서 순식간에 프리마돈나로 등장했다. 그뿐 아니라 미국인 사교계의 꽃으로도 발전했다. 로스엔젤레스와 뉴욕을 오가는 꿈 같은 생활 속에서 그녀는 알뜰히 실속을 차렸다.

돈 있어 보이는 남자들을 수단과 방법을 가리지 않고 부렸다.

L.A.에 있는 한국인 가방점을 인수하고, 뉴욕에 있는 시어스 체인의 가게도 인수했다.

미국에 5년간 머무르는 동안 기문숙은 타고난 상술을 발휘해 어마어마한 돈을 모았다. 시어스 등 유명 백화점에 한국 봉제품 납품권을 따내 그의 치부길은 더욱 탄탄해졌다.

아무리 구두쇠 같은 유태인 상인이나 미국인 사장들이라도 기문숙의 애교 넘치는 화술과 미소 앞에는 모두 항복을 하고 말았다. 끝까지 버티던 멕시칸 점포주들도 그녀의 육체 앞엔 무릎을 꿇었다.

이렇게 해서 거금을 만든 기문숙은 나이 서른을 넘어서자 어느 날 갑자기 인생의 허무함을 느꼈다.

낙을 붙일 만한 곳이 없어지자 그녀는 한국으로 돌아온 것이다. 미국에 있는 많은 점포나 부동산들은 관리자를 골라 맡겨 두고 한국에 돌아왔다. 그녀가 영동에서 살롱을 차린 것은 마음 놓고 밤에 놀아날 장소를 마련하기 위해서였다. 천성적으로 방탕하기 짝이 없는 그녀는 그런 분위기를 기이할 정도로 좋아했다.

그녀의 집은 빌라 맨션 두 채를 사서 아래위층으로 개조를 한 집이었다. 무려 1백36평이나 되는 규모였다.

추경감은 대강 이런 정도의 기초 조사를 한 뒤에 방배동에 있는 기문숙의 빌라 맨션을 찾아갔다.

추경감은 살롱이 있는 지역의 관할 세무서 담당 계장이란 이름을 대고 기문숙의 집에 들어설 수가 있었다.

기문숙은 막 외출을 하려는 참인지 정장을 하고 응접실 쇼파에 앉아 있었다.

"어서 오셔요. 시원한 것 한 잔 하실까요?"

기문숙, 아니 장마담의 솜씨가 금방 나타났다. 상냥한 미소를 지으며 인상을 좋게 보이려고 애를 썼다.

추경감은 소파에 주저앉으며 보기와는 전혀 다른 부드러운 쿠션의 감촉에 놀랐다. 이렇게 푹신하고 아늑한 소파는 처음 앉아 보았다. 마치 어머니의 무릎에 앉는 감촉 같다고나 할까.

"야, 이 소파 참 기가 막힙니다."

추경감은 어린애처럼 다시 일어났다가 풀썩 주저앉아 보이며 재미있어했다. 이럴 때 추경감의 얼굴은 영락없는 일곱 살짜리 장난꾸러기 소년이었다. 주름투성이 얼굴이 이런 천진스런 행동 때문에 동안처럼 선량하게 보이는지도 몰랐다.

"이런 소파는 꽤 비싸지요? 백만원도 넘지요?"

추경감이 재미있다는 듯 무릎을 계속 구르면서 말했다.

"호호호, 그래 가지고 제대로 세금 받겠어요? 호호호."

기문숙이 우스워 죽겠다는 표정을 지으며 호들갑을 떨었다.

"예? 그렇게 안 비쌉니까?"

"호호호, 미국서 이사 올 때 가져온 거예요. 요즘 시세로 한 8백만원, 아니 천만원쯤 갈걸요."

"예?"

추경감은 너무 놀라 벌떡 일어섰다. 그렇게 비싼 소파 위에 앉았다는 것이 어쩐지 죄스런 감이 드는 것처럼 느껴졌기 때문이다.

"이게 그렇게 비쌉니까?"

"세계 일류 제품에 대면 비싼 것도 아녜요. 미국 집에 콤테세 제품이 한 세트 있는데 그건 아마 5천만원 정도는 할걸요."

기문숙은 재미있는 듯 시종 웃음을 감추지 않고 말했다.

"곰텃센가 뭔가 하는 건 곰 가죽으로 만든 건가요?"

"곰텃세가 아니라 콤테세라는 독일 회사예요. 밍크 가죽으로 만들었죠. 제가 주문해서 만든 거예요."

그때 일하는 아주머니가 아이스 커피 두 잔을 가지고 나와서 얌전히 탁자에 내려놓고 갔다.

기문숙이 무릎 위에 놓고 만지막거리던 핸드백을 옆 소파에 놓았다. 까맣고 반들반들한 윤기가 나는 조그만 핸드백이 퍽 깜찍하고 고급스럽게 보였다. 어깨 띠 같은 긴 손잡이가 달려 있었다.

"그 핸드백도 꽤나 비싸겠군요?"

"뭐 그렇지도 않아요. 작년에 백화점에 들렀다가 눈에 띄길래 샀어요. 6백30만원인가 6백40만원인가를 줬지요."

"예?"

"정말이에요. P백화점에서 샀어요. 우리나라 백화점에도 요즘 쓸 만한 외제가 꽤 있다구요."

"그게 어느 나라 물건입니까?"

추경감은 마치 신기한 외계인이라도 보는 듯 핸드백을 들여다보며 말했다.

"프랑스의 모라비토라는 상품예요. 이탈리아의 구치와 함께 세계적인 톱 메이커랍니다."

기문숙은 핸드백을 왼손으로 들고 흔들어 보이며 말했다.

추경감은 딱 벌어진 입을 다물지 못했다. 한참 동안 기문숙과 핸드백을 번갈아 쳐다보았다. 도대체 이 여자는 돈이 얼마나 많기에 백 하나를 6, 7백만원씩 주고 서슴없이 산단 말인가? 일생을 벌어도 먹고 살고 나면 저 백 하나 값을 못 버는 사람도 이 세상에는 얼마나 많은가.

추경감은 한참 넋 나간 사람처럼 앉아 있다가 앞에 놓인 커피를 후루루 소리를 내며 마셨다.

"세무서에서 저런 물건에 1백 프로, 2백 프로씩 텍스(세금)을 붙여서 그런 거 아네요?"

추경감의 모습이 민망스러웠던지 기문숙이 미소를 지으며 말했다.

"아무리 관세를 붙여도 그렇지요, 수입가가 워낙 비싸니까 그런 것 아니겠습니까?"

기문숙은 추경감의 말을 채 듣지도 않고 옆에 있는 디스크
턴테이블로 가서 스위치를 넣었다.

어디서 많이 들은 것 같은 팝송이 흘러나왔다.

"저건……."

"마돈나예요. 아프리카 난민 돕기 자선 공연 때 부른 노래
죠."

기문숙은 노래의 박자에 맞춰 고개를 까딱까딱하면서 자리
에 앉았다.

"저 전축도 외제입니까?"

"예, 누굴 시켜 쓸 만한 것 한 벌 맞춰 달라고 했더니 별로
예요. 마음에 안 들어 다른 것으로 개비하려는 참이었어
요."

"일제입니까?"

"아뇨."

"그럼 미제? 독일제?"

"호호호, 오디오 세트란 파트 별로 생산국이나 상표가 다른
경우가 많아요. 저것도 여러 회사 제품을 사서 맞춘 거예
요."

"그렇게 하는군요. 그럼 저것도 몇 백만원 하겠군요?"

"호호호, 몇 백만원이야 넘지요."

촌스러운 추경감이 재미있는 듯 기문숙이 입을 가리고 웃었
다.

"저 세트가 한 7천만원 될걸요."

"예, 7천만원이라구요? 전축 한 대에 7천만원이나 한단 말

입니까? 아파트 한 채 값이군요.”
추경감은 한층 더 놀랐다.
“한 대가 아니고 한 세트랍니다. 오디오는 세트라고 해요.”
기문숙은 놀라는 추경감이 더욱 재미있는 모양이다.
“저 스피커는 미국의 아포지라는 건데요, 2천만원이구요, 파워 앰프는 크렐이란 건데 약 1천5백만원, 컨트롤 앰프는 크레빈슨, 턴테이블은 필립스…….”
“머리도 좋으십니다. 어떻게 그런 걸 다 외고 계십니까? 더군다나 가격까지 말입니다.”
“외제 뿐만 아니라 국산품도 값 나가는 물건이 많아요. 세무서에 계시니까 잘 아시겠지만 웬만한 양장점의 투피스 한 벌에도 2, 3백만원이 넘더군요.”
“그런 걸 입는 사람도 있습니까?”
“호호호…….”
기문숙은 웃기만 하고 대답을 하지 않았다. 약간 살이 쪄 보이는 뽀얀 뺨이 귀타나고 귀엽게 보인다고 추경감은 생각했다. 얼굴보다 몸매는 야윈 축에 드는 편이었다. 훤칠한 키에 세련된 옷매무새가 여늬 여인한테서 풍기는 분위기와는 전혀 달랐다.
“제가 아는 분이 한 사람 있는데요, 그 집에도 주로 외제 가구며 물건들을 많이 쓰던데, 그 집에 한 번 들렀다가 놀랐어요. 글쎄 중국젠가 뭔가 하는 흑단 식탁 하나가 7백만원인가 8백만원인가를 주고 샀다지 뭡니까. 그 집 응접실에 놓인 대리석 전화기는 뭐 80 몇만원한대요.”
“호호호, 서울에 그런 집이 뭐 한둘인가요?”

"혹시 장사장님은 아실지 모르지만……."

추경감은 기문숙이 장마담으로 알려져 있기 때문에 장사장이라고 했다.

"표준범 사장이라고, 북창동에서 오퍼상을 하시는 사람인데요……."

추경감은 말을 천천히 했다. 표준범이란 이름은 특별히 정확한 발음으로 천천히 하면서 기문숙의 표정을 살폈다.

"아아, 표사장, 무식한 장사꾼 말씀이죠?"

그러나 뜻밖에도 기문숙은 귀가 번쩍 뜨인 듯 대꾸했다.

"잘 아십니까?"

"알고말고요. 최근에 그 예쁜 사모님이 돌아가셨죠."

"그랬습니까?"

"그럼요. 아주 엽기적인 사건이었다구요. 집안 풀장에서 수영복 차림의 시체로 발견됐으니까요."

기문숙은 신이 났다.

13
질투의 화신

"그랬었군요. 그런데 왜 죽었다고 하던가요?"

"글쎄, 그게 의문이랍니다. 아마 아직도 경찰에서 조사를 하고 있다고 하죠. 전처의 딸과 사이가 나쁜데 전처 딸이 죽였을 것이란 추측도 있고, 남편이 죽였을 것이란 말도 있고요. 또 그 집에서 일하는 청년들이 욕심을 채우려다 안 되자 죽여서 풀장에 던졌단 얘기도 있었어요. 남의 일이니까 입방아들이 좀 시끄러웠겠어요? 하지만 자살 아니면 수면제 과용으로 죽었을 것이란 얘기도 있었어요."

기문숙은 마치 수사관이라도 된 듯 신나게 떠들었다. 남의 일에 열을 잘 올리는 여자들을 추경감은 많이 보아 왔다.

"그 여자를 잘 아십니까?"

추경감이 넌지시 물어보았다.

"잘 알다뿐이겠어요. 표사장 내외와는 같은 골프장 멤버거든요. 왜 성남에 있는 W골프장 알지요?"
"글쎄, 전 골프를 못 쳐서……."
추경감이 머리를 긁적긁적하며 괜히 미안한 표정을 지었다.
"내가 거기 멤버십을 가지고 있거든요. 어느 멤버 데이에
저와 그 집 내외, 그리고 백사장이라고 자동차 매매 센터
하는 사람, 이렇게 넷이서 한 조가 되어 골프를 친 일이 있
거든요."
"전부터 네 분이 아는 사이였나요?"
"아뇨, 그날 우연히 한 조로 조인트가 된 뒤부터 친해진 거
죠. 하여튼 표사장님의 사모님 보통 분이 아니에요."
기문숙은 아이스 커피를 스트로로 소리나지 않게 조심스레
빨아 마신 뒤 말을 계속했다.
"표사장과는 나이 차이가 한 25, 6세는 될 거예요. 재취라
고 하더군요. 전처와는 이혼을 했대요. 여자 쪽에서 먼저 이
혼을 하자고 해서 한 재산을 주었다고 하더군요."
추경감은 그건 사실과 다르다고 말하려다 그냥 참았다.
"아주 교양 있고 예쁜 여자였어요. 항상 미소를 띠고 화내
는 걸 보기 힘들었죠. 하지만 그 여자 겉보기와는 아주 다
른 데가 있었어요. 여자란 그저 얼굴만 봐서는 잘 몰라요.
깊이 사귀어 봐야 어떤 사람인가를 알게 돼요."
"무슨 일이 있었습니까?"
추경감은 잘하면 여기서 무슨 단서라도 건질 수 있다고 생
각하고 잔뜩 긴장했다.
"내가 골프를 칠 때 보면, 표사장은 가끔 스코어를 속이기
도 하고 공을 슬쩍 주워서 위치를 바꾸기도 해요. 비신사적

인 행위이지요. 러프에 공 찾으러 들어가서는 캐디 히프를
슬쩍 쳤다가 혼이 나기도 했어요. 그러나 김명주씨는 전혀
달랐어요. 깔끔하고 깨끗한 폼으로 공을 쳤지요. 특히 피니
시 폼이 일품이었어요."

"골프 실력은 어느 정도였나요?"

"보기 플레이 정도의 실력이었어요."

"보기가 뭡니까?"

"규정타보다 하나를 더 친 걸 말해요. 제법 치는 축이지요.
골프 칠 때도 엄격하게 룰을 지키고 상냥했어요. 그런데 그
여자의 진면목은 다른 데서 나타났어요."

"딴 데라뇨?"

"우리 네 사람은 가끔 어울려 여행도 하고 춤추러도 다녔거
든요. 그런데 그 김명주의 질투 많고 욕심 많은 본모습이
디스코홀에서 나타나더군요."

"예?"

이번엔 추경감이 일부러 놀라는 척해 보였다. 기문숙이 더
욱 신이 나서 이야기를 계속하도록 하기 위해서였다. 그렇게
해서 계속된 기문숙의 이야기는 대략 다음과 같았다.

어느 일요일 골프장에서 돌아오던 네 사람은 시내에 들어서
기 직전 고속도로 변에 있는 새로 생긴 호텔의 네온사인 간판
에 눈이 닿았다.

"우리 저기 성인 디스코홀이란 데 한 번 가보지 않겠어요?"

자동차 매매 센터를 하는 백사장이 뜻밖의 제안을 했다.

"좋지, 좋아."

표사장이 기다렸다는 듯이 맞장구를 쳤다. 그래서 차가 호

텔로 들어갔다. 백사장과 장마담, 아니 기문숙의 차는 뒤에 따라왔다. 골프장에 갈 때는 표사장의 차, 백사장의 차, 기문숙의 벤츠 등 석 대의 차가 따로따로 갔지만 올 때는 표사장 차에 네 사람이 타고 두 대는 운전사만 탄 채 그냥 빈 차로 따라오게 한 것이다.

일행은 디스코홀의 가운데에 자리잡고 앉았다. 아직 초저녁이었지만 장내 분위기는 한밤중과 같았다.

귀가 멍멍할 정도로 쾅쾅 울리는 빠른 템포의 리듬이 흐르는 가운데 무대 정면에는 반라 차림의 여자 무용수들의 군무가 한창 진행되고 있었다.

뮤도장에는 수십 명이 어울려 서로 어깨와 엉덩이를 부딪히며 춤을 추느라 법석이었다. 후끈하고 신나는 분위기가 실내에 가득 찼다.

"우리, 춤추러 가요."

다른 사람이 채 앉기도 전에 핸드백을 테이블 위에 팽개친 김명주가 표사장의 손을 끌고 무대로 나갔다. 두 사람은 사람 틈을 헤치고 들어가 금방 군무 속에 섞여 버렸다.

"춤추고 싶어서 어떻게 참았을까? 백사장님이 이곳에 오자고 안 했더라면 살인날 뻔했겠어요."

강렬하게 몸부림치는 디스코곡이 끝나고 조용한 멜로디로 곡조가 갑자기 바뀌었다. 천장에서 심산유곡의 달빛 같은 부드럽고 은은한 조명이 실내로 천천히 내려앉았다.

김명주는 표사장의 손을 붙들고 다시 자리로 돌아왔다. 이번엔 갈증난 사람처럼 맥주를 벌컥벌컥 두 잔 연거푸 마셨다.

"우리도 한 곡 출까요?"

백사장이 기문숙한테 손을 내밀었다. 장내에는 블루스곡이 흐르고 있었다. 두 사람은 테이블을 지나 사람들 틈으로 사라졌다.

이렇게 해서 네 사람의 테이블은 한창 분위기가 고조되었다. 그들이 홀로 들어온 지 두어 시간이 지난 뒤였다.

무대에서는 거의 발가벗다시피 한 두 여자 스트립퍼와 한 남자 댄서가 출연해서 외설스럽기 짝이 없는 춤을 추고 있었다. 실내를 마음대로 난도질하고 다니는 붉은 조명과 격렬하고 규칙적인 음악이 무대 위의 율동을 더욱 외설스럽게 보이게 했다. 무도장에서 몸을 맞대고 발악하며 춤추던 사람들이 저도 모르게 기성을 질렀다. 잠시 소돔의 지옥이 너울거리는 것 같았다. 모두가 제 정신을 잃은 듯했다.

무대의 두 나녀는 허리와 히프를 절묘하게 흔들어서 모든 객석을 숨 가쁘게 만들었다.

"장마담, 우리도 한 곡 흔들어요."

더 못 참겠다는 듯이 표사장이 기문숙을 이끌고 무도장으로 나갔다. 두 사람은 아주 능숙하고 멋진 솜씨로 춤을 추었다. 큰 키에 가는 허리, 히프가 위로 바싹 치켜붙어 각선미가 유난히 돋보이는 기문숙의 몸매는 일품이었다.

두 사람의 춤은 마치 은반 위의 스케이팅 댄스를 하는 남녀처럼 멋있게 보였다.

테이블에 앉은 채 두 사람의 춤을 한순간도 놓치지 않고 바라보고 있던 김명주는 경탄의 표정을 감추지 못했다. 자기도 몸매나 춤솜씨가 남 못지않다고 생각해 온 그녀였지만 기문숙 앞에는 기가 질리는 모양이었다.

격렬하던 무대 위의 춤과 멜로디가 갑자기 화산이 폭발하는 듯한 클라이맥스를 만들며 뚝 그쳤다.

그리고 이번엔 미끄러지듯 스케이팅 왈츠곡이 흘러나왔다.

기문숙과 표사장은 음악이 바뀌어도 테이블로 돌아오지 않고 계속해서 왈츠곡에 맞춰 신나게 춤을 추었다.

그 모습을 선망의 눈으로 한동안 바라보고 있던 김명주의 표정이 점점 변해 갔다. 춤이 계속될수록 이글거리는 질투의 눈길로 그들을 바라보고 있었다.

표준범의 가슴에 얼굴을 묻고, 가는 허리를 한껏 앞으로 내밀어 표사장의 몸에 최대로 밀착한 채 왈츠곡을 밟고 있는 기문숙에게로 김명주는 뜨거운 질투의 불을 쏟아붓고 있었다.

두 사람은 김명주의 이런 심정엔 아랑곳하지 않고 더욱 다정하게 서로를 밀착시키며 춤에 도취되어 있었다.

"우리도 나가요."

이윽고 더 못 참겠다는 듯이 김명주가 백사장을 끌고 나갔다.

김명주는 백사장의 굵은 허리를 껴안고 일부러 남편 표사장 앞으로 갔다. 그리고 머리를 백사장의 오른쪽 귀밑에 바싹 댄 채 될 수 있는 대로 자기 몸을 백사장에게 밀착시키는 포즈를 취했다.

그러나 표사장은 김명주의 이러한 필사적인 행동을 본 체도 않고 기문숙의 어깨를 감싸안은 채 꿈 속을 헤매고 있었다.

그때였다. 갑자기 찰싹 하는 소리와 함께 찢어지는 듯한 여인의 목소리가 들렸다.

"그만둘 수 없어!"

김명주가 표사장의 빰을 한껏 후려친 것이다.

참으로 어처구니없는 일이었다. 김명주는 분노와 패배감으로 얼굴이 파랗게 질려 있었다. 작고 예쁜 손이 파르르 떨리고 있었다.

이렇게 해서 그날 밤은 엉망으로 끝났다.

여기까지 이야기를 하던 기문숙은 그때를 다시 상기해서인지 얼굴이 달아오르는 것 같았다.

추경감은 그런 기문숙에게 시선을 돌리며 말했다.

"그 여자, 질투심이 보통이 아니었군요. 아버지뻘이나 되는 남편의 빰을 그렇게 어린애 엉덩짝 때리듯 할 수가 있습니까?"

"누가 아니래요? 그렇게 교양머리 없는 여잔 정말 처음 봤어요. 평소에야 얼마나 상냥하고 지성미 넘치고 단정한 여잡니까? 글쎄, 난 질투 질투 하는 말만 들었지 그런 행동은 생전 처음 봤어요. 어떤 사람은 아내의 그런 모습을 아름답게 보기도 해요. 특히 미국 사회에선 그렇더군요. 그것은 오히려 남편을 사랑하는 아름다운 증거로 봐주거든요."

기문숙이 담배를 꺼내 물었다. 추경감은 얼른 고물 지포 라이터를 꺼내 불을 가져다 대려고 했다. 그러나 고물 지퍼는 철거덕거리기만 하고 불이 켜지지 않았다.

14
딸의 눈물

며칠 만에 표준범 사장은 집으로 돌아왔다. 전에도 가끔 집을 비우는 일이 있었지만, 아내인 김명주가 죽은 후에는 그런 일이 더욱 잦았다.

표사장이 집에 돌아와 하룻밤을 푹 자고 난 이튿날 아침, 아래층 거실에서 편안한 자세로 쉬고 있을 때였다.

표성희가 자기 방에서 내려와 아버지 앞에 앉았다.

"아빠, 오랜만이에요. 몇 년 만에 뵙는 것 같은데요?"

테니스복같이 얇고 짧은 스커트를 입고 스타킹도 신지 않은 맨살이 거의 허벅지까지 보이는 가벼운 차림이었다.

잠시 딸의 이런 옷차림을 못마땅한 듯 쳐다보고 있던 표준범이 입가에 보일 듯 말 듯한 미소를 머금으며 말했다.

"성희냐? 그래, 별일 없냐?"

표준범은 탁자 서랍을 열고 파이프를 꺼내 물었다.

"왜 별일이 없겠어요? 아버진 뭐 제 일에 관심이나 있나
요?"
성희가 뾰로통해하며 대답했다.
"그래, 네 말이 옳다. 네 새어머니 돌아가신 후 여러 가지로
복잡한 일이 생겨 너한테 관심을 두지 못했다. 미안하다, 미
안해."
표사장은 건성으로 말하는 것 같지는 않았다.
"새어머닌지 뭔지 그 여자 일은 꺼내지 마셔요. 죽고 없는
사람을 왜 또 들먹거리셔요?"
표성희는 노골적으로 불만스런 표정을 보이며 쏘아붙였다.
성희의 성질을 잘 아는 표사장은 더 이상 아무 말도 하지 않
았다.
서로 말없이 한참 동안 버티고 앉아 있었다. 부녀간의 냉전
이었다. 표사장은 파이프 담배만 뻑뻑 피웠다. 파이프 담배의
연기에서는 향긋하고 톡 쏘는 듯한 독특한 냄새가 났다. 그 담
배 냄새가 과히 싫지 않다고 성희는 느꼈다. 외제 담배를 쓰기
때문에 풍기는 향기라고 생각했다.
"저, 돈 좀 주세요."
성희가 한참 만에 말했다. 그 말을 하기 위해 아버지 앞에
나온 것이다.
"얼마나 필요하니?"
"3백만원만 주세요."
성희는 아버지를 쳐다보지도 않고 말했다.
"뭣에 쓰려고 하느냐?"
표사장은 조심스럽고 부드러운 음성으로 물었다.

"용돈이 떨어졌어요."

"무슨 용돈을 한꺼번에 3백만원씩 쓰냐? 네가 학생 신분이란 건 알고 있지?"

"학생이면 뭐 돈 쓸 일이 없나요?"

"물론 돈 쓸 일이야 있겠지. 하지만 한꺼번에 3백만원씩 가져다 뭣에 쓰려는 거냐? 꼭 필요한 일이라면 3백만원 아니라 3천만원이라도 줘야지."

"그럼 3천만원 주세요."

"뭐라고?"

표사장은 화가 울컥 치미는 모양이다. 그러나 참고 다시 조용히 말했다.

"사용처만 말해. 필요만 만큼 줄 테니."

"꼭 말해야 돼요? 아빠 화내실 텐데요."

이번엔 성희가 아버지를 똑바로 쳐다보며 말했다.

"말해라!"

"부산 어머니한테 다녀오려고 해요. 한참 동안 못 뵈었거든요. 가서 가을 옷이나 한 벌 해드리고 싶어요."

"뭐?"

금세 표사장의 얼굴이 일그러졌다. 이마에 굵은 핏줄이 섰다. 사장이 굉장히 화가 날 때 생기는 특징이다.

"왜요? 전 아버지의 딸인 동시에 어머니의 딸이기도 해요. 딸이 어머니 옷 좀 해드리면 안 되나요?"

"성희야! 닥치지 못해."

표사장이 벌떡 일어섰다.

"그 여자는 네가 걱정 안 해도 돼. 내가 살 만큼은 다 해서 내보낸 사람이야. 건방지게 너더러 네 에미 걱정하랬어?"

표사장이 악을 쓰다시피 큰 소리를 질렀다.

"엄마를 왜 내보내셨어요? 엄마가 뭘 잘못했어요?"

성희도 지지 않고 큰 소리로 말했다. 언젠가 아버지한테 꼭 따져보고 싶은 말이었다.

"그건 다 우리 집안을 위해서야. 그걸 몰라서 묻니? 나는 외국 사람을 상대로 장사하는 사람이야. 너의 어머니같이 일자 무식인 촌뜨기를 데리고 어떻게 사업을 하니? 너는 잘 모른다. 요즘은 바이어 유치에도 내외가 함께 나서야 한다는 걸 조금이라도 이해를 하니? 파티에서도 내외가 함께, 골프장에서도 내외가 함께 나서서 싸우는 사업 전선을 네가 이해할 수 있니?"

표사장은 한결 언성을 낮추어서 말했다.

"아빠, 제발 그 치사하고 유치한 변명은 그만두세요. 엄마가 무식하다면 아빠는 얼마나 유식하세요? 엄마나 아빠나 국졸 학력은 같은 것 아녜요? 아빠는 뭐 석사, 박사예요?"

성희는 이번에는 더욱 입에 거품을 물고 악을 썼다. 분해서 못 견디겠다는 사람처럼 아버지한테 대들었다.

철썩. 마침내 표사장이 성희의 뺨을 갈겼다. 성희는 두 손으로 얼굴을 감싸며 소파에 털썩 주저앉아 울음을 터뜨렸다.

"참으셔요. 아버님, 화를 푸십시오."

어느새 왔는지 정혁태가 거실에 들어서며 표사장의 손을 잡아 말리면서 말했다.

얼굴을 감싸고 울던 성희가 갑자기 벌떡 일어서며 소리쳤다.

"부산 엄마도 그 여자처럼 죽이지 그랬어요? 엄마가 잘못한
게 뭐가 있어요?"

"……."

성희가 악을 쓰자, 표사장은 더 이상 아무 말도 하지 않고
서 있었다.

"성희, 밖으로 나가자."

혁태가 성희의 팔을 이끌고 거실을 나왔다.

그때까지 표사장은 아무 말도 하지 않고 그냥 서 있었다.

성희는 자기 방으로 가서 옷을 갈아입고 내려왔다.

마당으로 나간 혁태는 차고에서 성희의 차를 끌고 나왔다.

"성희, 타."

성희는 아무 말도 하지 않은 채 혁태 곁에 올라탔다.

혁태는 액셀러레이터를 세게 밟고 요란한 소리를 내면서 차
를 몰았다. 마치 성희의 화풀이를 해주는 것 같았다.

정혁태는 진부령 스키장으로 갈 때 성희한테 핀잔을 들은
뒤 운전 연습을 해 면허를 따낸 것이다.

"어딜 가는 거야, 형!"

성희가 눈물을 닦고 콤팩트를 꺼내 얼굴 화장을 고치며 말
했다.

"아무 곳이나…… 인천 연안 부두나 가볼까, 우리?"

"우선 장안평 백사장한테 좀 들러요."

"백인호인가 하는 그 자동차 매매 센터 주인 말이지?"

"그래요."

"거긴 왜?"

"좌우간 거기부터 좀 가요."

"알았어."

혁태는 아무 말 않고 차의 방향을 바꾸었다. 성희가 하자고 할 때는 언제나 그랬듯이 혁태는 따지지를 않았다.

"정말 아버지가 김명주를 죽인 거라고 생각해?"

혁태가 물었다.

"그거야 정형이 더 잘 알잖아?"

"내가 더 잘 알다니?"

"아버지 아니면 정형이 죽인 것 아냐? 아니라면 최소한 범인이 누구란 건 알고 있을 텐데……."

성희는 아주 태연하게 말했다.

"혹시 성희가 죽인 건 아닐까?"

혁태가 히죽이 웃으면서 말했다.

"내가?"

"응."

"형은 내가 죽인 것 같아? 호호호, 그것 재미있는 착상이다. 친엄마를 쫓아내고 들어온 젊은 엄말 효심이 지극한 딸이 그냥 두지 않았다. 교묘한 트릭을 써서 마침내 새엄마를 죽여 없앤다……. 그거 썩 재미있는 이야기 아냐, 호호호."

성희는 정말 유쾌한 듯 웃었다. 복수를 한 것 같은 후련함이 그녀를 스치고 지나갔다.

"그래도 역시 부산 엄마는 불쌍해."

"또 그 생각이야?"

"정형은 법대 다니지?"

"그건 왜 갑자기?"

혁태가 성희를 돌아보았다.

124

"법대생이면 법에 대해서 잘 알겠구나. 그 생각을 내가 왜
진작 하지 못했을까?"
"무슨 생각?"
"억울하게 속아서 이혼을 당한 것은 어떻게 구제를 하는 방
법이 없을까? 법적으로 말이야."
성희가 아주 진지한 말투로 물었다.
"왜 없겠어? 이혼 무효 소송을 제기하면 되지."
"그럼 원래처럼 되는 거야?"
"그야 판결을 받아야 되지. 재판을 해서 그 결과를 따라야
지."
"그것도 재판을 해봐야 하는 거야? 분명히 속아서 이혼을
했는데도?"
"물론이지."
"아이, 무슨 거지 같은 법도 다 있어? 속아서 당한 것도 억
울한데 또 재판을 해야 하다니? 그 따위 법을 누가 만들었
어? 법이 그런 거라면 더 배울 필요도 없어요. 형, 그 법 공
부 집어치우는 게 좋겠어요."
"소크라테스는 악법도 법이라고 했어."
"아이, 속상해."
성희는 정말 화가 난 듯 핸드백으로 차를 탁탁 때렸다.
그들은 장안평의 백사장 사무실까지 와서는 성희 혼자 차에
서 내렸다.
"형, 조금만 기다려요. 곧 돌아올 테니까."
성희는 혼자 백사장의 사무실로 들어갔다. 이른 시간인데
백사장은 벌써 나와서 장부를 검토하고 있었다.

"안녕하세요. 저 성희예요."

성희가 생글생글 웃으며 인사를 했다.

"아이구, 이게 누구야? 표사장님댁 공주 아냐? 어서 와요."

백사장은 반가워하며 성희를 응접 세트에 앉혔다.

"그래, 공주님이 웬일이십니까, 아침부터?"

"죄송해요. 아버지 심부름을 좀 왔어요."

"표사장님? 아니, 성희를 심부름꾼으로 보냈단 말이야?"

"예, 오늘 아침 일찍 비행기로 광주에 가시면서 아저씨께 말씀 좀 드리라고 해서……."

성희는 거짓말을 하기 시작했다.

"돈 3백만원만 돌려 달라고 했어요. 아침에 저의 친척 집에 가져다 줘야 할 돈이 있는데 깜박 잊고 어제 가져오질 않았대요. 아빠가 회사로 나갔다가 갈 시간이 없기 때문에 저더러 아저씨께 빌려서 학교 가는 길에 가져다 주라고 했어요."

성희는 백사장이 아버지한테 전화를 걸어보지 못하도록 거짓말을 했다.

"쯧쯧, 표사장도 참 딱한 사람이야. 그런 일을 학교 가는 딸한테 시키고 출장을 가다니? 그냥 나한테 전화만 해도 되는데……."

"아저씨한테 아빠가 전화를 했었지요. 집에 걸었더니 회사 가셨다고 하고 회사로 걸었더니 아직 아무도 안 나왔고요."

"음, 그랬군. 내가 출근하고 있는 시간이었던 모양이군. 좌우간 3백이라……."

백사장은 곁에 있는 조그만 금고를 열더니 수표를 꺼냈다.

백만원짜리 자기앞 수표 두 장과 십만원짜리 자기앞 수표 열
장을 꺼내 봉투에 넣어서 정중하게 성희한테 건네주었다.

"잃어버리지 말고 잘 가지고 가거라. 참, 차 한 잔 마시고
가련?"

"아뇨. 아저씨, 고마워요."

성희는 돈 봉투를 받아들자 두근거리는 가슴을 안고 재빨리
그곳을 나와 버렸다. 생전 처음 돈을 얻기 위해 거짓말을 해본
것이다. 성희는 뛰다시피 차로 돌아와 기다리고 있던 혁태한
테 말했다.

"정형, 빨리 가요."

15
차 속의 냉전

"어디로 가지?"

당황해하는 성희를 물끄러미 쳐다보며 혁태가 시동을 걸었다.

"우리, 부산으로 가요."

"부산? 지금?"

혁태가 눈을 크게 떴다.

"그래요, 부산. 경상남도 오른쪽 끝에 있는 항구 부산 말이야!"

"알았어."

성희가 재촉하는 바람에 혁태는 더 이상 캐묻지 않았다.

그들은 곧 고속도로로 들어섰다. 집을 나설 때 쾌청하던 날씨가 고속도로로 들어서자 갑자기 어두워지기 시작했다. 먹장구름이 동쪽에서 몰려와 하늘을 덮더니 그들이 수원 인터체인지까지도 채 도착하기 전에 소나기가 쏟아지기 시작했다.

"이거 영 앞이 보이지 않는데…… 부산은 무엇 때문에 가
는 거지?"

혁태가 처음으로 불평 비슷한 말을 했다.

"형하고 신혼 여행 가는 거예요. 속 시원해요?"

성희가 쏘아붙였다.

"이거 내 운전이 서툴어서 아무래도 안 되겠어. 수원에 들
어가 쉬었다가 비 좀 멎거든 가자구."

"맘대로 해요."

그래서 그들은 수원 인터체인지로 들어서서 고속도로를 벗
어났다.

수원서 남쪽으로 가는 국도로 조금 내려가다가 한적한 과수
원길 같은 숲속 길로 접어들어 큰 나무 밑에 차를 세웠다.

비가 더욱 억수같이 쏟아져 차창 밖이 거의 보이지 않았다.

"이제 꼼짝 없이 갇혀 버렸네."

성희가 혁태를 올려다보며 말했다. 차 안에 갇혀 있자니 콧
잔등에 땀방울이 맺혔다.

"아이, 더워. 나 옷 좀 벗겠어요."

성희는 못 참겠다는 듯이 블라우스를 훌훌 벗어 버렸다.

옥같이 희고 고운 어깨가 드러났다. 윤기가 날 정도로 까만
브래지어의 볼륨이 좁은 차 안을 가득 채운 것처럼 육감적으
로 느껴졌다.

혁태가 의자의 매듭을 풀고 등받이를 뒤로 젖혔다. 차 안에
좁지만 침대 같은 공간이 생겼다.

"그놈의 소나기, 정말 속시원하게 퍼붓네."

성희가 차창 밖을 내다보며 혼잣말을 했다. 그리고는 더 참을 수 없다는 듯이 이번엔 브레지어를 벗어서 의자 밑에 던져 버리고는 팔깍지를 끼고 뒤로 벌렁 드러누워 버렸다. 그 모양을 앉은 채 혁태가 내려다보았다.

하얗게 드러난 성희의 상체가 갈색 시트 위에 누여졌다.

금방 망울이 터진 장미 송이처럼 싱그러운 두 개의 유방이 자랑스럽게 솟아 있었다. 핑크빛의 젖꼭지가 숨을 쉬는 것 같았다.

성희는 반듯이 누운 채 혀를 내밀어 입술을 침으로 적셨다. 그리고 그윽하고 고혹적인 눈으로 내려다보고 있는 혁태를 쳐다보았다.

혁태도 천천히 셔츠의 단추를 풀고 윗옷을 벗어 둘둘 말아 옆으로 치웠다.

촉촉히 땀에 젖은 혁태의 상체가 성희의 젖가슴 위에 포개졌다. 그리고 거친 숨소리가 끈적하게 젖은 성희의 입술 위에 겹쳐졌다.

성희가 급하게 두 손으로 혁태의 목을 끌어안고 입술을 비벼댔다. 혁태의 왼손이 천천히 성희의 하체로 움직여 내려가며 스커트를 비집었다. 성희의 두 팔도 혁태의 목에서부터 등으로 옮겨졌다. 가슴을 좀더 밀착시키려고 애를 썼다. 그 진동으로 차체가 휘청거렸다.

좁은 차 안은 뜨거운 공기로 고무풍선처럼 팽팽해졌다.

"아이, 더워!"

성희가 갑자기 혁태의 가슴을 두 손으로 밀어냈다. 그리고는 벌떡 일어나 앉으며 반쯤 벗겨진 스커트의 매무새를 고쳤다.

갑작스럽게 돌변한 성희의 태도에 혁태는 얼떨떨하기만 했다. 성희는 무슨 일이든 중요한 대목에 가서 이렇게 변덕을 부리는 일이 많았다. 한참 열이 올라 더 참을 수 없을 것 같던 혁태도 아무 소리 않고 일어나 앉았다. 한두 번 겪는 일이 아니어서 성희의 태도를 이해하고 있었다.

"창문 좀 열어요."

성희가 맨살 위에 블라우스를 다시 주워 입으며 말했다. 차창이 약간 열렸다. 비는 여전히 쏟아지고 있었다.

"비켜요. 내가 운전할 거야."

성희는 뒤로 젖혀졌던 의자를 다시 일으켜 세우고는 혁태와 자리를 바꾸어 앉았다.

차에 시동을 걸고는 차를 남쪽으로 가는 국도로 몰고 나왔다. 그리고 능숙한 솜씨로 달리기 시작했다. 차가 달리자, 에어컨이 말을 잘 들어 차내는 금방 시원한 공기로 찼다.

두 사람은 한참 동안 말없이 빗속을 달리기만 했다. 차가 평택을 지날 무렵까지 서로 아무 말도 하지 않았다.

"형, 미안해."

마침내 성희가 입을 열었다. 혁태는 아무 대꾸도 하지 않았다.

"갑자기 기분이 상해서 그랬어. 그 여자 생각이 문득 나서 그랬던 거야. 따지고 보면 그것도 형 탓이야."

"그 여자라니?"

"그 여자들이라고 하는 게 옳을 거야."

"들?"

"한 여자는 아빠의 그 여자, 죽은 김명주 말이야."

"또?"

"다른 여자는 형의 애인인 고미화."

"그런데 왜 그 순간에 그 여자들 생각을 했지?"

"형의 손이 내 속살을 헤집고 들어오자 갑자기 불결한 생각이 들었어, 후후후. 이 무슨 표성희답지 않은 치사한 생각인지 모르겠어, 하하하."

표성희는 큰 소리로 웃었다.

"흠…… 흠……."

정혁태는 웃는 것도 웃지 않는 것도 같은 신음 소리를 토해 냈다.

"질투, 그런 게 질투라는 건가? 이 표성희가 정혁태의 애인한테 질투를 해? 하하하, 19세기에서나 존재하는 줄 알았던 질투가 나한테도 있었단 말야? 형, 그런 게 질투라는 거야? 갑자기 형의 그 손이 불결하게 느껴졌단 말야. 아니, 손뿐 아니라 형의 몸뚱이 전체가 불결하게 느껴졌거든. 고미화와 엉켜 있는 형의 모습이 자꾸 눈앞에 떠올랐단 말야. 하하하, 우습지? 형……."

그러나 혁태는 아무 말도 않고 가만히 듣기만 했다.

"지난주에 어디 갔다 왔어? 바른 대로 대봐요."

갑자기 성희가 진지한 목소리로 말했다.

"……."

"얘기 좀 해 봐요. 갑자기 입이 붙어 버렸어요?"

성희가 짜증스럽게 말하며 액셀러레이터를 거칠게 밟았다. 하마터면 차가 옆의 논으로 뛰어들어갈 뻔했다.

"결혼한대."

정혁태가 퉁명스럽게 대답했다.

"누가?"

"고미화 말야. 내달에 결혼식 올린대."

"그 여자 결혼이야 뭐 심심하면 하는 것 아냐? 또 살인나겠군."

성희가 한껏 빈정대듯 말했다.

"또 살인나다니?"

"김명주처럼 또 죽여 버릴 것 아냐! 형은 시집 간 애인 죽이는 게 취미 아냐? 내 말 틀렸어요?"

"그런 끔찍한 농담 그만해 둬, 성희. 김명주가 어째서 내 애인이란 말야? 그리고 아무리 못마땅하지만 새엄마도 엄마야. 그런데 말끝마다 김명주 김명주 하는 건 좀 너무한 것 아냐?"

혁태의 입에서 놀라운 말이 나왔다. 성희의 말이라면 단 한마디도 거역한 일이 없는 혁태. 그런데 이렇게 성희 귀에 거슬리는 말을 한 것은 놀라운 일이 아닐 수 없었다. 아침에 집에서 떠날 때부터 혁태는 기분이 좋지 않았던 것이 틀림없었다. 더구나 도중에 차 안에서 성희가 혁태를 무시하듯 가슴을 떠밀어낸 것은 혁태의 자존심을 몹시 상하게 한 것 같았다.

아무리 마음 좋고 죽어 지내는 사나이라도 정사 직전에 그런 횡포와 무안을 당하면 가만 있을 수가 없는 일 아닌가? 참고 참았던 혁태의 분노가 여기서 폭발한 것이다.

"흥, 김명주 편드는 거야? 고미화가 시집 가면 또 쥐도 새도 모르게 고미화를 죽이겠지? 왜 대답을 못 하고 엉뚱한

소리만 해. 그리고 내가 시집 가면 그 다음엔 나도 죽여 없
앨 거야? 형! 말 좀 해봐요."

성희는 차를 아예 세우고 두 손으로 핸들을 꼭 쥔 채 앞만
내다보며 성난 말투로 대답을 재촉했다.

혁태는 더 이상 아무 대꾸도 하지 않았다.

"부산 안 갈 거야? 내가 운전해 줄까?"

한참 동안 아무 말도 않던 혁태가 성희의 어깨에 손을 얹으
며 부드럽게 말했다.

그러자 성희는 운전대에 얼굴을 묻고 어깨를 들먹이면서 흐
느껴 울기 시작했다.

16

바다, 노을, 그리고 눈물

차가 경부 고속도로를 달리는 동안, 성희는 계속 눈물만 흘리고 있었다. 추풍령 휴게소에 다다랐을 때까지 아무 말 없이 운전만 하던 혁태가 차를 주차장에 세운 뒤에야 입을 열었다.

"이봐, 성희. 기분이 좀 어때? 여기서 바람이나 좀 쐬고 갈까, 우리?"

혁태가 나직하고 부드러운 목소리로 말했다. 성희는 아무 대답도 하지 않고 다소곳이 핸드백을 들고 차에서 내렸다. 두 사람은 나란히 휴게소 뒤쪽으로 걸어갔다. 짙푸른 숲이 방금 내린 소나기에 씻겨 더욱 풋풋하고 생기 있게 보였다. 마치 목욕탕에서 갓 나온 10대 소녀의 뺨 같은 싱싱함이 느껴져 왔다.

혁태는 심호흡을 하며 풀 냄새 젖은 공기를 한껏 마셨다.

"정형."

　옆의 바위에 걸터앉아 있던 성희가 갑자기 말을 걸었다.
　"정형은 나하고 결혼할 생각 없어?"
　성희는 혁태를 쳐다보지도 않은 채 땅만 내려다보며 말했
다.
　"무슨 말을 그렇게 해? 결혼할 테야 하고, 결혼할 생각이
없는 거야 하고는 다른 거야."
　혁태도 먼 산을 바라보며 대답했다. 담배를 피워 물고 연기
를 멀리 보이는 숲을 향해 내뱉듯이 뿜었다.
　"정형은 날 사랑해?"
　"그런 건 자신한테나 물어봐."
　"우리 이러다가 정말 정들어서 헤어지지 못하게 되는 것 아
냐?"
　"왜? 겁나?"
　"약간."
　두 사람의 대화는 다시 멈추었다. 혁태는 불안한 듯 성희 앞
을 왔다갔다하면서 담배연기만 뿜어댔다.
　"난 한 번도 결혼이란 걸 생각해 본 일이 없어. 우습지? 결
혼이란 우리 세대와는 상관이 없는 아버지 어머니 시대, 아
니 할아버지 할머니 시대 사람들이나 생각하는 것인 줄 알
았어. 먼 별나라 이야기인 것만 같았단 말이에요. 더구나 정
형하고 결혼하면 어떨까 하는 생각은 한 번도 해본 일이 없
거든."
　"그런데 새삼스럽게 무슨 이야기를 하자는 거야?"
　"결혼이란 해도 후회하고 안 해도 후회한다, 이런 생각."
　"호호호……."

혁태가 마침내 웃음을 터뜨렸다. 그러나 그것은 우스워서 웃는 웃음도 즐거워서 웃는 웃음도 아니었다. 무어라고 표현할 수 없는 야릇한 감정의 노출이라고 보는 게 옳을 것 같았다.

"그래도 성희는 내 품에 안기기를 좋아하잖아. 내 앞에서 모든 걸 다 버리고 순종했잖아. 너의 그 예쁜 모든 것을 바쳤잖아. 그러면서 한 번도 결혼이란 걸 생각 안 해봤단 말야?"

혁태의 목소리가 약간 높아졌다.

"착각하지 마. 그것과 결혼은 달라. 그리고 정형, 지금 내가 뭘 바쳤다고 했는데 웃기지 마. 내가 바치기는 뭘 바쳤단 말야? 정조? 참 가소로운 말씀이야. 그럼 육체? 말도 안 돼. 어떻게 해서 누가 누구한테 바친단 말야? 서로 필요해서 이용하는 것에 불과하다구. 가끔 나는 정형이 필요하고 정형도 가끔 내가 필요했겠지. 그 필요 때문에 우리는 가끔 어울렸던 거야. 난 뭐 꼭 정형만 필요했던 건 아니에요. 성훈이나 준필이도 마찬가지거든. 빨랫비누가 필요하면 슈퍼마켓에서 사기도 하고 동네 구멍가게서 사기도 하잖아요? 그것과 다른 건 아무것도 없단 말이야."

점점 높아지던 성희의 억양이 마지막 부분에 가서는 발악적인 고함으로 변해 버렸다. 마지막 말을 뱉고는 두 손으로 얼굴을 감싸고 소리를 내어 엉엉 울었다.

혁태는 그런 성희의 모습을 정말 처음 보았다.

혁태는 울고 있는 성희의 어깨를 천천히 부드럽게 감쌌다. 그리고 가슴에 조용히 껴안았다. 성희는 혁태의 가슴에 얼굴을 묻은 채 어깨를 들먹이며 더욱 서럽게 울었다.

"실컷 울어둬. 울고 싶을 땐 우는 게 최고야. 사랑하고 싶을
땐 사랑하는 게 최고고……."

멀쩡하게 화장실이 있는데도 볼일을 군이 휴게소 뒤로 돌아
와서 보는 승객들이 성희와 혁태의 모습을 흘금흘금 흘겨보며
지나갔다. 두 젊은이를 보는 그들의 눈빛이 사뭇 경멸조였다.
더러는 드러내놓고 혀를 끌끌 차기도 했다.

"우리, 그만 가요!"

갑자기 성희가 정신이 든 듯 혁태의 품에서 빠져나와 차 쪽
으로 재빠르게 걸어갔다.

"운전은 내가 할게."

성희가 냉큼 운전대에 올랐다. 그리고는 우악스럽게 시동을
걸었다. 차는 금방 휴게소를 빠져나와 경부 고속도로로 접어
들었다.

성희가 카세트 테이프 스위치를 눌렀다.

시, 시, 캐시의 '사랑이 머물던 자리'가 신나게 흘러나왔다.
성희는 볼륨을 더욱 높이고 콧노래로 박자를 따라갔다.

차의 계기판이 시속 150킬로미터를 가리키고 있었다.

"어이 성희, 너무 밟는 것 아냐?"

혁태가 불안한 듯 조심스럽게 말했다.

"혁태형은 언제나 그렇게 겁장이야? 비굴하고, 겁 많고, 소
극적인 때 묻은 대학생, 졸업 후의 취직 걱정이나 하면서
안절부절 못 하고 다니는 선배, 운동권 학생들한테 겉으로
는 경멸하면서 속으로는 열등감을 느끼는 약아빠진 처세술
의 인간형…… 뭐 그런 게 정형 같은 학생의 패턴 아냐?

왜? 기분 나빠?"

성희가 콧노래 틈틈이 말을 이었다.

"이놈의 차, 더 밟아 버릴까보다. 부딪혀서 부서지면 죽기
밖에 더하겠어?"

"성희! 오늘 정말 왜 이러는 거야?"

"왜요?"

"아무래도 좀 이상해. 성희답지가 않단 말이야."

"성희다운 게 어떤 건데?"

"명랑하고, 절도 있고, 당돌하지."

"호호호……."

성희가 유쾌하게 웃었다. 혁태도 빙긋이 따라 웃을 수밖에
없었다.

그들이 부산 톨게이트에 도착한 것은 오후 4시께였다.

고속도로 휴게소를 지날 때마다 계속 먹었기 때문에 배 고
픈 줄은 몰랐다. 그들은 고속도로를 벗어나 서면 로터리에 닿
자 작은 호텔 커피숍으로 들어갔다. 차를 마시며 잠시 쉬기 위
해서였다.

"어머니 계신 데 찾아온 거지!"

비로소 혁태가 눈치를 챘다는 듯이 말했다.

성희는 아무 말도 하지 않고 고개만 끄덕였다.

"어디야, 어머님 가게가……?"

"청학동."

"영도 섬 아냐."

성희는 고개만 약간 끄덕였다. 어쩐지 풀이 죽어 있는 듯했
다. 어머니를 생각하자 갑자기 우울해진 것 같았다.

"어머니가 불쌍해. 어머니 생각만 하면 아버지가 미워 죽겠어. 도대체 남자란 다 그런 거야?"

"아빠는 아빠대로 사정이 있었을 거야. 두 사람 다 이해해야 돼."

"아쭈, 제법 어른 같네."

성희가 혁태를 바라보며 웃어 보였다.

"자, 그럼 어머니한테 가보자."

두 사람은 호텔 커피숍을 나와 영도로 달렸다.

차는 청학동 내리막길 골목 네거리에서 멈추었다.

"저 가게야."

성희가 차 안에서 맞은편 모퉁이의 간판을 가리켰다. '명동 슈퍼'라는 간판과 라면 상표가 붙어 있었다. 이름은 슈퍼라고 되어 있지만 어린이를 상대로 사탕이나 파는 구멍가게였다. 간판은 라면 회사에서 선전 목적으로 달아준 것 같았다.

"문이 닫혀 있잖아?"

혁태가 차에서 내리면서 말했다. 한 칸짜리 가게엔 셔터가 내려져 있었다.

"왜 문을 닫았을까?"

성희가 달려가 철제 셔터를 손으로 통통 쳤다.

"엄마!!"

성희는 마치 국민학교 저학년 학동처럼 어머니를 불렀다.

그러나 아무 대답이 없었다. 다시 철제 셔터를 거세게 두드렸다.

"엄마아! 엄마아!"

여전히 안에서는 아무 기척이 없었다.

성희는 겁이 더럭 났다. 불길한 생각이 들었다. 며칠 전 신문에서 읽은 기사가 생각났다. 40대 이혼녀가 죽은 지 40여 일이 지나서야 발견되었다는 그 기사가 번개처럼 머리를 스치고 지나간 것이다.

"혁태형! 좀 불러 봐!"

성희가 불안을 떨쳐 버리지 못한 듯 혁태를 향해 응원을 요청했다.

"여보서요! 여보서욧!"

혁태가 큰 주먹으로 두들기고 굵은 목소리로 불렀다. 그러나 응답이 없기는 마찬가지였다.

"외출하고 없는 것 같아."

혁태가 부르기를 멈추고 말했다.

"이쪽으로 돌아와 봐요. 주인집에 물어보면 알겠지."

성희가 가게에 붙어 있는 조그만 대문께로 갔다. 대문이 열려 있어 쉽게 마당에 들어설 수 있었다.

"실례합니다."

성희가 큰 소리로 안채를 향해 말했다. 곧 현관 문을 열고 50대쯤 되어 보이는 여자가 얼굴을 내밀었다.

"누고?"

억센 경상도 사투리가 튀어나왔다.

"저어, 말씀 좀 여쭙겠는데요……."

"말해 보이소."

"가게에 세들어 사는 분, 어디 나가셨나요?"

성희가 손으로 가게 쪽을 가리키며 말했다.

"서울댁 말인교? 이사 갔임더."

여주인은 퉁명스럽게 말했다.

"예?"

성희가 놀라 눈을 둥그렇게 떴다.

"한 보름 전에 이사 안 갔는교. 처니는 서울댁하고 우찌 되는교?"

여주인이 문밖으로 나와 성희의 아래위를 훑어보며 말했다.

"저어, 친척되는 사람인데요."

성희가 우물쭈물 대답했다.

"서울서 오뺐는가배."

"예."

"우짜꼬? 갑자기 이사를 가비릿는데…….."

"어디로 가셨는지 아십니까?"

혁태가 물었다.

"모르겠임더. 개금으로 간다는 말만 들었는데…….."

"왜 갑자기 이사를 갔는지요?"

"그걸 지가 우찌 압니꺼? 장사도 안 되는기 아인데 갑자기 갔다 아입니꺼."

"그러면 도저히 이사 간 집을 찾을 방법이 없겠군요."

"그렇네예."

두 사람은 더 이상 할 말이 없어 그 집에서 나왔다. 성희는 나와서도 굳게 닫힌 가게 문 앞에 서서 한동안 집 쪽을 쳐다보며 망연히 서 있었다. 도저히 미련을 떨칠 수 없다는 표정이었다.

"왜 갑자기 이사를 가 버렸을까? 더구나 집도 알려 주지 않고…….."

142

혁태가 혼잣말처럼 중얼거렸다.

"난 알아요."

성희가 나직이 말했다.

"나를 피한 거야."

"뭐라고?"

"전번 왔을 때 그랬거든. 이제 다시는 당신을 찾아오지 말라고 하셨다구."

"왜?"

혁태가 놀라 성희를 쳐다보았다. 성희의 눈에는 금방 이슬이 맺혔다.

"그전에도 찾아오지 말라는 것을 내가 막무가내로 왔었단 말야. 다음에 또 찾아오면 다시는 못 찾는 곳으로 가 버린다고 하셨어."

"무엇 때문에 그랬을까?"

"오히려 내가 불쌍하다는 거지. 병신, 천치, 바보, 거지, 싸가지……."

성희는 닥치는 대로 욕을 퍼부었다. 누구에게도 아닌 화풀이였다. 입으로는 거친 욕설을 퍼부으면서도 눈에서는 뜨겁고 굵은 눈물이 주루룩 쏟아졌다.

성희는 왜 어머니가 자기를 찾아오지 말라고 하는지 잘 알았다. 모녀의 끊을 수 없는 인연을 끊어 버리고자 한 것이었다.

당신은 이미 표씨 집에서 떠난 사람이다. 떠난 사람이기 때문에 비록 자기의 혈연이지만 잊어야 한다는 도리를 굳게 믿고 있었다.

　표사장의 새 가정을 위해서 성희와의 관계를 칼로 자르듯이 끊어 버려야 한다고 생각했다.

　딸과 인연을 끊자면 여간한 결심으로는 되지 않는다. 그러나 딸의 장래를 위해서는 자신이 사라지는 것이 옳다고 생각했던 것이다.

　이런 어머니의 생각을 성희는 잘 알고 있었다. 그래서 더욱더 어머니를 도와주고 싶었다. 잘 되지도 않는 구멍가게 같은 힘드는 일을 하지 않고도 편안히 살게 하고 싶었다. 그래서 돈이 생길 때마다 어머니에게 가져다 드렸다.

　어머니는 처음 몇 번은 마지못해 돈을 받았다. 그러나 최근에는 억지로 버리듯이 두고 가는 돈을 다음날 성희의 학교로 되부쳐 보내곤 했다. 돈이래야 한밑천할 만한 큰 돈도 아니었고, 성희의 용돈에서 떼주는 돈이 고작이었다. 그 돈마저 어머니는 완강히 받기를 거절한 것이다. 또다시 돈을 가져오거나 찾아오면 영원히 없어져 버릴 거라고 강경하게 말하던, 지난번 어머니의 모습이 기억났다.

　성희는 그럴수록 아버지가 미웠다. 괘씸했다. 지옥이 있다면 수백 번도 더 가야 할 사람이라고 생각했다.

　성희는 어떻게 하든지 아버지의 돈을 빼내어 어머니에게 가져다 드려야 한다고 다짐했다. 그것은 절대로 나쁜 짓이 아니고, 아버지가 해야 할 일을 자기가 대신 해주는 것이라고 여겼다. 성희는 흐르는 눈물을 닦을 생각도 하지 않고 다시 차로 돌아왔다.

　"우리, 바닷가로 가요. 파도 소리 들으며 유쾌한 노래나 목청껏 불러요. 신나는 곡으로."

"⋯⋯?"

혁태는 어처구니가 없다는 듯 성희를 멀거니 쳐다보았다.

"그렇다고 개금에 가서 오영자 모르냐고 아무나 붙잡고 물을 수도 없잖아."

"오영자?"

"우리 어머니 이름이야. 동래 쪽으로 갈까? 아니, 태종대 쪽으로 갈까? 아니야, 광안리로 가."

혁태는 더 이상 말없이 차의 시동을 걸었다. 그리고 주머니에서 손수건을 꺼내 던져주었다. 눈물을 닦으라는 표시였다. 차가 엔진 소리를 내며 서서히 움직였다.

"데어스 썸싱 아이 원 투 텔 유(There's something I want to tell you.)⋯⋯."

성희가 갑자기 노래를 부르기 시작했다. 재닛 잭슨의 '잠시 기다립시다'라는 팝송이었다.

성희는 영어와 우리 말을 섞어서 큰 소리로 노래를 계속 불렀다.

"⋯⋯바로 그 첫날 밤에
아주 올바른 일은 아니었어요.
잠시 기다립시다.
너무 늦기 전에
잠시 기다립시다.
우리가 너무 멀리 가기 전에
나의 모든 느낌을 보이지 않으려 했다는 걸 난 진정으로 몰랐어요.
⋯⋯."

노래를 부르는 동안 성희의 눈에서는 계속해서 굵은 눈물이 흘러내렸다.

"어머니가 불쌍해. 우리 어머니가 불쌍해서 죽겠단 말야."

성희는 노래를 뚝 그치고 푸념을 하기 시작했다.

성희의 그런 모습을 보면서 혁태는 잠자코 차만 몰았다. 평소에 볼 수 없던 성희의 모습을 지켜보며 내심 놀라고 있었다.

"정말 죽겠단 말야. 정형! 나, 죽어 버릴까? 바다와 죽음, 이 얼마나 황홀한 꿈이야!"

"성희야!"

혁태가 단호한 목소리로 불렀다. 성희가 완전히 제 정신이 아닌 것 같은 생각이 들어서였다.

"성희야, 정신 좀 차려. 어머니는 다시 찾아내면 되는 거야. 뭣 때문에 그런 쓸데없는 소리를 자꾸 하니?"

"정형은 몰라. 내 맘을 모른단 말야."

"모르긴 왜 몰라."

두 사람은 잠시 입을 다물었다. 그러고는 차만 몰았다. 얼마 가지 않아서 차는 광안리 해수욕장에 도착했다.

늦여름이라 해수욕장은 썰렁했다. 붐비던 절정기의 화려함은 간 곳 없고 한 잎 두 잎 꽃잎이 지고 있는 조락의 나무 같았다.

그들은 접근할 수 있는 곳까지 바싹 차를 가져다 댄 뒤 모래사장으로 걸어나갔다.

성희는 하이힐을 벗어 버려 맨발이 되었다. 청바지도 거의 정강이까지 걸어올렸다.

얇은 블라우스도 섶을 걷어올려 양쪽을 앞으로 잡아맸다.

배꼽이 그대로 햇볕에 노출되었다.

옆에 서서 따라가는 혁태는 참으로 매혹적이고 싱그러운 여인의 자태를 눈으로 즐길 수 있었다.

그들은 어린이들과 몇 쌍의 옷 입은 연인들이 서성이는 쓸쓸한 모래사장을 한참 동안 걸었다. 발밑에 와 닿는 파도 거품이 발등을 간지럽히며 사그라졌다. 비릿하지만 조금도 역겹지 않은 바다 내음이 바람에 실려 와서 뺨을 스쳤다.

두 사람은 깊은 숨으로 바다를 호흡했다. 성희는 곁에서 걷는 혁태가 여느 때와는 다르게 느껴졌다. 이때까지 한 번도 생각해 보지 않은 결혼의 상대자로 떠올려진 것이다.

'남편감……!'

그 생각이 들자 문득 자기가 늙었다고 여겨졌다. 벌써 결혼을 생각할 나이라니 하며 혼자 피식 웃었다.

성희는 육체의 사랑과 정신의 사랑이 따로 있다고 늘 생각했었다. 혁태와 여러 차례 몸을 섞으며 즐겼지만, 사랑이나 결혼 따위는 한 번도 그 행위와 연결시켜 본 일이 없었다.

그들은 바다 옆을 걷다가 해가 완전히 서쪽으로 기울며 붉게 타는 노을을 남길 무렵에야 모래사장을 걸어나왔다. 발갛게 타오르는 노을은 바다를 온통 불꽃으로 물들이는 것 같았다.

그들은 해변의 간이 식당에서 회를 곁들여 저녁을 먹었다. 그리고 해수욕장에서 그리 멀지 않은 곳에 위치해 있는 호텔에 방을 얻었다.

"우리, 방은 두 개 얻어요."

성희가 제안했다. 혁태는 말없이 고개만 끄덕였다.

"아냐, 브이 아이 피 룸을 얻으면 그런 불편은 없을 거야."

성희가 뒤늦게 생각난 듯 말했다. 그리고 프런트에서 부킹을 했다.

"이 호텔에서 제일 좋은 방 하나 주세요."

프런트의 청년은 두 사람을 한참 훑어보다가 웃으며 대답했다.

"스페셜 룸이 있긴 있습니다만……."

너희들이 그 비싼 방을 정말 쓸 것이냐는 의구심을 노골적으로 나타냈다.

"좋아요. 룸이 몇 개 있나요?"

성희가 거침없이 말하자, 청년의 태도가 약간 달라졌다.

"메인 룸에다 침실이 세 개 딸렸습니다. 메인 룸에는 응접 세트가 두 세트, 대기실, 주방, 그리고 베드 룸이 세 개입니다. 베란다는 독립되어 있습니다. 시설이야 부산에서 우리 호텔 따를 데 있습니까?"

청년은 공손한 서울 말씨로 설명했다.

"좋아요. 그 방을 주세요. 우선 오늘 하룻밤만 자보고 맘에 들면 더 있을 거예요."

"하룻밤 주무시는 데 팔십육만원 되겠습니다. 부가세는 별도입니다만……."

청년이 이래도 너희들이 쓰겠느냐는 표정을 지었다. 한 번 더 생각해 보라는 듯 선뜻 예약을 받으려 들지 않았다.

"안내를 해주세요."

성희는 눈 하나 깜짝하지 않고 쉽게 말했다.

"이틀만 계시면 2백만원이나 가까워지……."

148

청년이 못 믿겠다는 표정을 계속 짓자, 성희가 고함을 꽥 질렀다.

"이봐요, 2백만원이건 2천만원이건 돈 주면 되는 것 아녜요? 왜 그렇게 사람만 노려보고 있어요? 우리가 돈 떼어먹을 사람 같아요? 별꼴 다 보겠네. 자, 돈 여기 있어!"

성희가 핸드백을 열고 가지고 있던 10마원짜리 수표 열 장을 획 던져 버렸다.

수표 조각이 삐라 뿌린 듯 사방으로 흩어졌다.

당황한 호텔 종업원들이 뛰어나와 수표를 황급히 주웠다.

"사람이 사람으로 안 보이고 돈으로만 보여? 내 얼굴이 돈처럼 안 생겼어?"

성희가 표독스럽게 쏘아붙였다.

"이거 죄송합니다. 무슨 일입니까?"

나이 지긋한 사람이 허둥지둥 달려왔다.

"제가 지배인입니다. 이거 무슨 영문인지는 모르지만 무조건 죄송합니다."

지배인은 정말 큰 죄인인 것처럼 연방 절을 하면서 사과했다.

그런 소동 끝에 성희와 혁태는 12층에 있는 초호화판 특실로 안내되었다.

방안에 들어서자마자 성희는 청바지며 블라우스, 브래지어를 거침없이 벗어던졌다. 더없이 육감적인 성희의 유방이 혁태의 눈에 현기증이 되어 다가왔다.

17
베란다의 정사

"이봐요, 혁태씨, 이리 와봐요."

팬티 하나만을 입고 호텔 특실의 이곳저곳을 기웃거리던 성희가 주방 안에서 무엇을 발견했는지 호들갑스럽게 정혁태를 불렀다.

"뭐가 있어?"

욕실에서 샤워를 하고 있던 혁태가 나올 생각도 않고 계속 샤워를 하면서 말했다.

"여기 부엌에 좀 와봐요."

혁태는 젖은 몸에 팬티만 주워 입고 부엌으로 들어갔다.

"이거 봐요."

성희가 큼직한 냉장고 문을 열어젖혔다.

냉장고 안에는 어느 여염집 부엌의 냉장고처럼 먹을 것이 가득 들어차 있었다.

캔 맥주, 콜라, 계란, 양파, 쑥갓, 우유, 쇠고기, 토마토 등 과일류와 채소류 등이 가득 차 있었다.

그 뿐만 아니라 부엌에는 식빵이며 쌀, 조미료 등 어떤 음식이든 해먹을 수 있는 재료가 가득 들어 있었다.

"혁태씨, 우리, 여기서 밥 해먹어요."

"밥을 해먹자고?"

"그래요. 등산 갔을 때 가끔 해먹었잖아요."

성희가 어린애처럼 즐거워하며 말했다. 팬티 하나만을 걸친 미끈하고 흰 몸을 혼들며 즐거워 어쩔 줄 몰라하는 것 같았다. 몸을 혼들 적마다 풍만하고 거대한 두 개의 유방이 출렁거렸다. 희고 긴 목이 즐거움에 물든 싱싱한 얼굴에 잘 어울렸다. 약간 끝이 처진 듯한 둥근 맨살의 어깨가 퍽 육감적으로 보였다.

운동으로 다듬은 것보다 더 탄력 있는 잘록한 허리며, 잘 다듬은 조각 같은 배꼽, 그 밑으로 완만하게 퍼져나간 아랫배, 거기서 엷은 핑크빛 밑으로 깊게 파인 비너스의 언덕이 보일 듯 말 듯 애간장을 태웠다.

그 주위로 팽팽하게 부푼 히프. 혁태는 여기까지 천천히 뜨거운 눈으로 훑어보다가 마침내 못 참겠다는 듯이 성희를 와락 껴안았다.

"어머! 정형, 왜 이래? 여긴 부엌이야. 가만 있어봐. 우리 밥부터 지어 먹어, 응?"

성희가 두 손으로 혁태의 팔을 잡고 몸을 뒤로 빼냈다.

"성희야!"

그러나 혁태는 좀처럼 성희를 놓아주지 않았다. 금방 샤워

를 하다가 나왔기 때문에 상체는 물기가 그대로 남아 있어 성
희의 몸까지 적셨다. 혁태의 뜨거운 입술이 긴 성희의 목덜미
며 귓부리에 무수히 자국을 남겼다.

"으흠, 좀 참을 수 없어?"

마침내 성희가 혁태의 어깨를 물어 버렸다.

"아얏!"

혁태는 성희의 허리를 단단히 감고 있던 팔을 풀면서 비명
을 질렀다.

"후후후."

성희는 그 모습이 재미있는 듯 얼른 혁태의 품에서 풀려나
오며 입을 가리고 웃었다.

"아이구, 아야!"

혁태는 짐짓 엄살을 부리며 어깨를 문질렀다.

"성희, 밥 지을 줄 알아?"

혁태는 단념한 듯 더 이상 성희를 껴안으려고는 하지 않았
다.

"몰라. 정형은 잘하잖아. 자취 생활 몇 년이지?"

"중학교 때부터 자취를 했으니까 10년도 훨씬 넘었지."

"그만 하면 천치 바보라도 밥짓는 도사가 됐겠다, 호호호."

"그럼 내가 밥지을 테니, 성희는 반찬을 만드는 거야."

"아이, 재밌어. 마치 신혼 살림 차린 기분이네, 호호호."

성희는 무엇이 그렇게 즐거운지 좋아서 어쩔 줄을 몰라했
다.

"좋아. 신혼 살림 마이가리다. 그럼 이 정혁태 요리사가 밥
을 짓도록 하지."

152

"난 반찬이라고는 장독에서 간장 퍼 오는 일밖에 모르니까, 반찬도 일류 요리사인 정혁태 선생께서 준비를 하시지."

"좋아, 어차피 식순이 노릇 하는 건데 맛이야 있건 없건 내가 할 수밖에 없군."

"식순이씨, 잘 부탁해요. 난 소파에서 푹 쉴게요. 난 지금 부잣집 맏며느리 역할이거든⋯⋯."

성희는 부엌에서 나왔다. 그리고 베드 룸 이곳저곳을 들여다보았다. 거실 안쪽에 있는 가장 큰 베드 룸에는 더블 베드가 놓여 있고, 주위에는 화려한 옷장과 크리스탈로 조각한 스탠드 등이 서 있었다.

침대 위에는 눈부신 레이스 장식이 천장에서부터 사방으로 내려뜨려져 분위기를 한껏 내었다. 마치 유럽 어느 왕비의 침실같이 호화의 극치를 보여주는 듯했다.

성희는 찬찬히 그 모습들을 감상한 뒤 다른 침실로 들어갔다. 나머지 두 침실은 모두 싱글 베드가 놓여 있었다. 한 곳은 싱글 베드 곁에 어린이용인 듯한 작은 베드가 있었고, 다른 한 베드 룸은 덤덤한 장식에 실용적인 탁자가 하나 있었다. 침실을 둘러본 성희는 욕실로 들어갔다.

욕실도 침실 숫자와 같이 세 군데나 있었지만 두 군데는 간단한 어느 호텔 욕실과 비슷했다. 그러나 메인 베드 룸 곁에 있는 욕실은 침실만큼이나 화려하게 꾸며져 있었다.

거의 공중 목욕탕만한 크기에 기품 있는 장식이 보는 사람의 기를 질리게 했다. 한쪽 곁에는 화장대며 딱딱한 침상까지 놓여 있었다.

또한 온수와 냉수용 욕조가 따로 구분되어 있었다. 물이 홀

러나오는 수도의 입구도 용머리 같은 장식이 새겨진 대리석이
었다.

벽의 그림 타일은 선녀가 목욕을 한 뒤 승천하는 모습이 새
겨져 있어 한층 무드를 냈다.

성희는 버튼식으로 되어 있는 샤워 스위치를 눌렀다. 물의
온도도 벽에 붙어 있는 버튼으로 조절하게 되어 있었다.

"아이, 시원해!"

성희는 폭포수 같은 샤워 줄기를 머리에 뒤집어쓰며 탄성을
올렸다. 물에 흠뻑 젖어 더 이상 입고 있을 필요가 없는 팬티
를 벗어던졌다.

실오라기 하나 걸치지 않은 완전한 나체가 된 성희는 한참
동안 샤워를 즐긴 뒤 물기도 닦지 않고 그대로 나와 거실의
소파에 털썩 주저앉았다. 웬일인지 피곤이 한꺼번에 몰려오는
것 같았다. 성희는 벌거벗은 채로 소파에 편안히 누운 채 자기
도 모르는 사이 잠이 들었다.

얼마를 잤는지 누가 어깨를 심하게 흔드는 바람에, 성희는
눈을 떴다. 눈앞에 혁태가 빙그레 웃으며 서 있었다. 성희는
발가벗고 누워 있던 기억이 나 얼른 손을 가슴으로 가져갔다.

담요가 덮여 있었다.

"처녀가 발가벗고 그런 모습으로 자고 있으면 어떻게 해?
내가 담요를 가져다 덮었지. 덮은 게 아니라 가렸다고 하는
게 옳겠군."

혁태가 여전히 빙긋 웃으며 말했다.

"이렇게 잠만 자고 있을 거야? 이 방이 하룻밤 자는 데 90
만원이나 줬다는 것 잊었어?"

"90만원? 홍, 우리 아버지는 부자야. 90만원 같은 건 돈도 아니란 말야."

성희가 일어나며 담요를 걷어차 버렸다. 그리고 완전히 알몸을 드러낸 채 소파에서 일어섰다.

"옷 입고 와."

혁태가 돌아서면서 말했다. 시선을 더 이상 성희한테 줄 수가 없다는 표정이었다.

"옷? 누가 보나 뭐."

"내가 거북해서 그래."

혁태가 여전히 시선을 딴데 둔 채 말했다.

"내 모습이 거북하다고? 호호호. 정형도 그런 말 할 때가 다 있어? 호호호."

"우리는 남자와 여자 사이야. 더구나 학생이고 남남이야. 그뿐인 줄 알아? 아직 미혼이야."

혁태가 조용하지만 무게 있는 음성으로 타이르듯 말했다.

"아쭈, 공자님 다시 나셨네, 하하하. 이봐, 정형! 웃기지 말고 우리 편한 대로 지내. 그럴 게 아니라 우리 아담과 이브 놀이나 할까? 정형도 옷가지 같은 것 다 벗어 버려. 여기는 에덴 동산이야. 정형은 아담 그리고 나는 이브. 아이, 멋져. 우린 왜 진작 그런 생각을 못 했을까? 정형도 그 팬티 벗어 버려, 하하하."

"못 말려!"

혁태는 화가 난 듯 부엌으로 들어가 버렸다.

"밥은 어떻게 됐어요?"

성희는 짐짓 화난 체 큰 소리를 쳤다.

"밥 다 됐어. 식탁에 차리고 있으니 어서 먹어. 단 옷을 입지 않으면 밥도 못 먹을 줄 알라구."

사람은 보이지 않고 목소리만 부엌에서 울려나왔다.

"알았어요. 내가 졌어. 배가 고파서 지는 거야, 정형. 으시대지마."

성희는 하는 수 없다는 듯 벗어두었던 청바지와 블라우스를 다시 입고 식탁으로 갔다.

"와아! 제법인데."

식탁에는 밥 두 그릇을 중심으로 찌개와 계란 부침 등 몇 가지 반찬이 놓여 있었다.

"정형, 정말 좋은 남자야. 맛은 어떨지 모르지만 일단 식순이로는 합격인 것 같은데……."

성희가 찌개국물을 떠서 맛을 보며 말했다. 혁태는 아무 말도 하지 않고 성희의 요리 평가가 나오기를 기다렸다.

"제법인데. 같이 먹어요."

두 사람은 식탁에 마주 앉아 밥을 먹었다. 시장했던지 밥맛이 꿀맛 같았다. 한참 정신 없이 밥을 퍼먹다가 성희가 문득 엉뚱한 질문을 했다.

"정형, 죽은 그 여자하고 등산 다니며 밥지어 먹어본 일 있지?"

"그 여자라니?"

혁태가 눈이 둥그래졌다.

"누군 누구야, 김명주지. 죽은 여자가 뭐 또 있나?"

"음, 성희 새엄마?"

"새엄마라니? 그 따위 소리 한 번만 더 해봐라. 이걸로 그냥."

성희가 식탁에 놓여 있던 양식용 나이프를 들고 찌르는 시늉을 했다.

"알았어! 알았어."

혁태가 손으로 항복하는 시늉을 했다.

"말해 봐. 그 여자하고 피크닉 다니며 밥지어 먹었지?"

"갑자기 무슨 뚱딴지같은 소리야?"

혁태가 몹시 난처한 표정을 지었다.

"그 여자랑 함께 고등학교 다닐 때 등산 다녔잖아."

"그랬던 것 같아."

혁태가 마지못해 시인을 했다.

"그때 정형이 늘 밥짓고 찌개 끓이고 했지? 김명주는 가만히 앉아서 받아먹기만 하고……."

"그야 산에 가면 으레 남자들이 밥짓는 것 아냐. 그게 뭐 이상할 건 없잖아."

혁태가 홀금홀금 성희의 눈치를 보며 말했다.

"그런데 그걸 어떻게 알았어?"

"이 찌개……."

성희가 식탁에 놓인 찌개를 가리키며 불쾌한 표정을 지었다.

"왜? 찌개가 맛이 없어?"

"이 찌개 끓인 솜씨가 김명주 그 여자와 꼭 같단 말야. 그 여자가 정형한테 배운 거지? 찌개 속에 당근을 네모로 잘라서 넣고, 버터를 풀고……."

"그야……."

혁태가 멋적은 듯 뒤통수를 긁적거렸다.

"그 여자는 정형의 첫사랑이었지? 고미화가 아니라 김명주였지?"

성희가 다그쳤다.

"아니, 성희, 갑자기 왜 이래?"

"어물어물하지 마. 난 다 안단 말야. 김명주를 죽인 것은 정형이지?"

성희는 젓가락으로 식탁을 치면서 말했다.

"성희야, 농담이 지나쳐."

혁태는 그래도 목소리가 차분했다.

"거짓말 마. 그날 오후 늦게 우리 집에 들렀었잖아."

"저녁 무렵에 돌아간 것 기억 안 나?"

정혁태가 꽤 심각한 얼굴로 말했다.

"피이, 집에 가는 척하고 우리 집 어딘가에 그냥 있었을 수도 있지."

"그래서?"

"그래서, 이튿날 아침까지 기다릴 수도 있잖아. 정원에 숨어 있을 수도 있고 말이야. 그러다가 새벽녘에 수영하러 나온 김명주를 만날 수도 있는 것 아냐?"

성희가 장난기 어린 얼굴을 해보였다.

"그래서 풀장에 나온 김명주를 내가 죽였단 말이지?"

"꼭 죽이기 위해 기다렸다고 할 수는 없지만……. 그렇게 밀회를 할 수도 있는 것 아냐?"

"후후후, 말이 되는 소리를 좀 할 수 없어? 내가 김명주와 밀회를 할 생각이 있었다면 뭣 때문에 그런 어려운 방법을 택했겠어? 그리고 말야, 똑똑히 들어둬. 김명주는 비록 계모이긴 하지만 성희의 새엄마야. 모녀간이란 말야. 내가 그렇게 모녀간을 구분도 못하고 한꺼번에 좋아하는 부도덕한 놈으로밖에 생각할 수가 없어?"

혁태의 목소리는 마침내 노기를 띠고 있었다.

"미안해. 그냥 농담으로 해본 소리야. 하지만 정형을 보면 어딘가에 그 여자의 체취가 묻어 있는 것 같은 생각이 가끔 든단 말이야."

성희는 그렇게 말하고는 베란다로 나갔다. 널찍한 베란다에는 여러 각도에서 조명이 비치고 있었다.

열대 식물 같은 화분들이 한쪽에 숲을 이룬 듯했다. 몇 군데 혼들의자가 놓여 있고, 일광욕할 때 쓰는 장의자 두 개가 나란히 놓여 있었다.

그 옆 바닥에는 아라베스크 무늬가 수놓인 두툼한 매트리스가 펼쳐져 있었다. 어찌나 큰지 그 위에서 씨름을 해도 비좁지 않을 것 같았다.

성희는 혼들의자에 앉아서 밤바다를 내려다보았다.

캄캄해서 바다는 보이지 않고 멀리 불을 켠 몇 척의 배들이 가물가물 꺼질 듯한 불빛을 비쳤다. 파도소리만이 멀어졌다 가까워졌다 하면서 귓전을 리드미컬하게 때렸다.

왼쪽 끝으로 거대한 도시의 한 자락이 명멸하는 빛으로 변해 있었다.

해변의 밤이 깊어 갔다. 성희는 혼들의자를 발로 밀어 버리고 일광욕 의자에 가서 비스듬히 누웠다.

"춥지 않아? 밤바람이 제법 찬데 말이야."

어느새 나왔는지 혁태가 성희 곁에서 속삭이듯 조용한 목소리로 말했다. 무릎을 바닥에 꿇고 허리를 굽혀 성희의 상체 위에 얼굴을 들이댔다.

성희는 두 팔로 혁태의 어깨를 가볍게 안았다.

혁태는 얼굴을 들어 성희의 입술을 더듬었다. 긴 입맞춤이었다. 그러다 갑자기 성희가 벌떡 일어났다. 혁태도 따라 일어났다. 그러자 성희는 혁태의 목에 두 손을 감고 혁태의 입술을 놓치지 않으려고 애를 썼다.

"불쌍한 성희!"

혁태가 성희의 귓가에 속삭이며 성희의 허리를 으스러지도록 껴안았다.

혁태는 성희를 번쩍 들고는 널따란 매트리스로 걸어가서 거기에 눕혔다. 그리고는 뱀 허물처럼 얇은 블라우스를 거칠게 벗겨 버렸다. 탄력 넘치는 가슴이 그대로 드러났다. 외등의 불빛을 받아 굴곡이 더욱 선명하게 보였다.

혁태는 성희의 청바지 지퍼를 풀고 오른손으로 벗겨 내렸다. 그 동안에 왼손으로는 성희의 목을 받치고 얼굴에 키스를 퍼부었다.

성희의 숨결도 뜨거워졌다. 혁태의 손놀림이 더욱 빨라졌다.

성희는 혁태가 청바지를 쉽게 벗길 수 있도록 허리를 위로 들어 도와주었다. 청바지가 정강이까지 내려가자, 성희는 두 발로 청바지를 쉽게 벗어 버렸다.

혁태의 오른손이 성희의 육감적인 무덤을 만지작거리다가 차차 밑으로 내려갔다. 배꼽 근처를 한참 서성이던 손이 더 밑으로 내려가서 비너스의 언덕에 부드럽게 닿았다.

성희는 몸을 꿈틀하고는 미친 듯이 혁태의 머리를 끌어안았다. 혁태가 이번에는 재빨리 자기 옷을 벗어 버렸다.

입술과 함께 온몸이 천천히 포개졌다. 성희는 우람한 혁태의 어깨를 두 손으로 꽉 쥔 채 천천히 받아들였다. 등뒤의 매트리스 촉감이 퍽 율동적이었다.

혁태의 어깨 너머로 늦여름의 성좌가 펼쳐 보였다. 크고 작은 별들이 캄캄한 밤하늘에서 춤을 추었다. 규칙적이고 리드미컬하게 춤추던 별들은 차츰 속도가 빨라졌다. 땀이 밴 혁태의 어깨 너머에선 춤추던 하늘의 별들이 시간이 흐를수록 점점 더 속도를 빨리 하며 격렬하게 움직였다. 그러다가 마침내 무수한 별들이 신음 소리를 내며 쏟아져내렸다. 그 수많은 별 조각들은 하늘이 무너진 듯 쏟아져내려와서는 성희의 뜨거운 육체를 뒤덮었다. 아랫도리에서부터 목줄기까지 별들은 아우성을 치며 성희를 점령해 버렸다. 성희는 별들이 온몸에 가득 차자 포만감을 느끼며 팔다리에서 맥이 풀려나갔다. 등에서 땀이 솟아나 매트리스가 흥건히 젖은 것 같았다.

혁태가 언제나처럼 옆에 반듯이 누운 채 담배를 피워 물었다.

"정형."

"응?"

혁태는 돌아보지도 않고 대답만 했다.

"저기 별 보여?"

"정말 초롱초롱하군. 구름 한 점 없는 날씨인가봐."

"별이 저렇게 아름다운 줄은 정말 몰랐어. 오늘 밤의 별은 너무나 아름다운 것 같아."

두 사람은 오랫동안 하늘을 쳐다보며 누워 있었다. 제법 서
늘한 바닷바람이 불어왔다.

"정형, 우리 안으로 들어가요."

성희가 발치에 구겨져 있는 청바지를 다시 주워 입고 일어
섰다.

"밤이 꽤 깊었나봐. 그만 자지, 성희."

거실로 들어오자 메인 침실 문을 열어보이며 혁태가 한 말
이었다.

"우리, 잠은 따로따로 자야 해요."

성희가 혁태를 보지도 않고 말했다.

"······?"

혁태가 성희를 돌아보았다.

"우리는 남남이잖아. 부부도 아닌데 어떻게 한 방에서 잘
수가 있어? 나는 이쪽 더블 침대를 쓸 테니까 정형은 저쪽
방에서 자는 거야."

성희가 메인 침실의 스위치를 켜며 말했다. 혁태는 어이가
없다는 듯 한참 동안 성희를 쳐다보았다.

"왜? 내 말이 틀려요? 아무리 요즘 세상이라지만 남남인 총
각 처녀가 한 방에서 잠잘 수는 없는 것 아냐?"

"그래, 성희 말이 백 번 맞다 맞아."

혁태는 웃을 수밖에 없었다.

"그럼 잘 자. 난 샤워 좀 하고 잘 테니까."

혁태는 작은 침실 옆에 딸린 욕실로 들어갔다.

성희는 침실로 들어와 문을 잠근 뒤 호화롭고 푹신한 더블

침대에 몸을 던졌다. 그리고 마음껏 긴 기지개를 켰다.

　머리맡에 있는 스위치를 눌러 찬란한 샹들리에 불을 꺼 버리고 스탠드 불을 켰다. 달빛처럼 부드럽고 은은한 불빛이 방 안을 가득 채웠다.

　새벽녘.

　혁태는 계속해서 울리는 전화벨 소리를 꿈결에 들으며 겨우 눈을 떴다.

　창문이 훤했다. 거실에 있는 전화가 계속 울리고 있었다.

　혁태가 눈을 비비며 거실로 나가 전화를 받았다.

　"이제 깨셨군요. 여기는 호텔 프런트인데요, 정혁태 선생님 이시죠?"

　전화 목소리는 조금 흥분한 목소리였다.

　"그렇습니다만……."

　"문제가 좀 생겼습니다. 곧 올라가서 말씀드리죠."

　전화가 딸깍 끊겼다.

　혁태는 성희가 자고 있는 메인 침실의 도어에 노크했다.

　아무런 응답이 없었다.

　혁태는 다시 세게 노크를 했다. 그래도 안에서는 아무 반응이 없었다. 문을 열어보았다. 잠겨 있지도 않고 쉽게 열렸다. 그러나 빈 방이었다.

　"성희야."

　혁태는 다시 침실을 나와 불러 보았다. 그러나 아무 곳에서도 대답이 없었다.

　부엌이며 침실, 욕실 문을 차례로 모두 열어보았다. 그러나 성희는 보이지 않았다.

베란다로 나가 보았다. 거기도 성희는 없었다.

그때였다. 초인종이 울렸다. 혁태가 문을 열자, 숨이 턱까지 차오른 프런트 청년이 서 있었다.

"선생님, 사모님께서……."

사나이는 침을 꿀꺽 삼키며 말을 주저했다. 혁태는 선생님이며 사모님이라는 말이 매우 생소했다.

"사모님이 누구요?"

"아이, 어젯밤에 여기 함께 투숙하신 선생님 사모님 말입니다."

"아아, 성희 말이군. 표성희씨 말이죠?"

그제야 혁태는 이 청년이 자기들을 부부로 간주하고 있다는 생각이 들었다. 속으로 웃음이 나왔지만 참았다.

"예, 표성희씨 말입니다."

"그래, 성희가 어떻게라도 됐단 말입니까?"

"예, 어떻게 됐습니다."

청년은 여전히 당황한 표정으로 대답했다.

"예? 어떻게 됐다구요? 어떻게 됐습니까?"

"투신자살을 기도했습니다."

"예? 성희가요? 그래, 어떻게 됐습니까?"

혁태는 금세 얼굴이 새파랗게 질렸다. 손이 파르르 떨렸다.

18
자살 유희

"성희가 자살 기도를 했다고……. 그래, 죽었어요?"

파랗게 질린 정혁태가 엘리베이터를 타면서 청년에게 물었다. 그는 너무 당황해서 무릎이 후들후들 떨렸다.

"생명은 건진 것 같다고 하더군요."

"어디서 투신을 했답니까?"

"자세히는 모르겠어요. 지금 부산대학 부속병원에 있다니까 그리로 빨리 가보시면 자세한 것을 알 거예요. 우리도 경찰한테서 연락을 받았거든요. 우리 호텔에 투숙했다고 경찰에 말한 것을 보면 생명은 건진 것 아니겠습니까?"

청년은 혁태를 안심시켰다.

혁태는 때마침 호텔 앞에 서 있는 호텔 택시를 타고 대학병원 응급실로 달려갔다.

"성희야!"

그는 응급실의 흰 가운 틈을 헤치고 뛰어들어가며 큰 소리로 외쳤다.

바쁘게 환자를 돌보고 있던 의사들이 깜짝 놀라 혁태를 쳐다보았다.

그제야 혁태는 자기가 너무 경솔하게 서둔 것을 눈치채고 자세를 가다듬었다.

"미, 미안합니다. 여기 표성희라고…… 스물대여섯 된 처녀인데……."

혁태가 더듬거리며 말하자, 젊은 의사 한 사람이 턱으로 응급실 벽의 작은 문을 가리켰다.

혁태가 문을 열고 들어가자, 이동 침대에 누워 있는 성희가 눈을 꼭 감고 팔에는 링겔 주사가 꽂힌 채로 반듯이 누워 있었다.

"성희야!"

혁태는 반가워서 눈물이 핑 돌았다. 목소리가 물기에 젖어 마지막 발음이 잘 안 되었다.

그러자 성희가 가만히 눈을 뜨고 혁태를 쳐다보았다. 창백한 얼굴에 보일 듯 말 듯 조용한 미소를 띠었다.

혁태는 그 모습이 너무도 애처롭고 반가웠다.

"성희야, 살아 있었구나. 성희야……."

혁태는 떨리는 손으로 성희의 손을 꼭 쥐었다. 성희의 손은 차가웠다. 그러나 숨쉬는 성희의 모습이 혁태를 그렇게 감격스럽게 할 수가 없었다.

뜨거운 눈물이 주루룩 쏟아졌다. 평소 성희와 가까이 지내고 있었지만 자기가 이처럼 성희를 마음 속 깊이 새겨두고 있는 줄은 몰랐다.

"이 바보야, 이게 무슨 짓이야?"

혁태는 성희의 두 손을 꼭 쥐고 나직이 말했다.

성희는 말똥말똥 눈을 뜨고 혁태를 한참 쳐다보다가 입을 열었다.

"정형! 지금 우는 거야? 후후후, 바보같이……."

뜻밖의 성희 말에 놀란 것은 혁태였다. 말소리가 너무나 초롱초롱하고 장난기 섞인 평소의 말투 그대로였기 때문이었다.

"정형은 어떻게 연락을 받고 여기까지 왔어?"

성희의 표정은 생기가 돌았다. 생기가 돌았다기보다는 장난기까지 어렸다.

"성희가 얘기한 것 아냐? 나 어느 호텔에 있다고……."

"아니, 그것 참 이상하네. 어떻게 누가 정형한테 연락했을까?"

성희는 참으로 궁금한 듯 자리에서 벌떡 일어나 앉았다.

그 바람에 가슴 위까지 덮고 있던 시트가 홀렁 벗어져 내려가고 맨살의 상반신이 드러나 버렸다.

새하얀 목덜미며 푸들푸들한 젖가슴이 그대로 드러났다. 핑크빛 젖무덤이 하얀 돌담 위에 핀 장미꽃처럼 선명했다.

"옷이 물에 젖어서 다 벗겨 버렸나봐."

성희는 멋적은 듯 웃으며 시트를 잡아당겨 앞가슴을 가렸다.

"난 바닷물에 빠졌댔거든……."

성희는 그제야 부끄러운 듯 약간 얼굴을 붉혔다.

"도대체 어떻게 된 거야?"

혁태도 정신을 가다듬고 의자에 걸터앉으며 물었다.
"표성희씨 보호자 되십니까?"
그때 옆에 있던 흰 가운의 남자가 정혁태의 아래위를 훑어
보며 말했다.
새파랗게 젊고 앳된 얼굴이 인턴인지 레지던트인지 하는 수
련의 같았다.
"그렇습니다만……."
"밖에서 누가 찾는데요."
"누가 말입니까?"
"모르겠어요. 경찰관 같은데요."
흰 가운은 더 말대꾸하기가 귀찮다는 듯이 혁태의 등을 밀
었다.
"여긴 보호자가 들어오시면 안 됩니다."
혁태가 응급실 문을 나서자, 복도에서 서성거리던 점퍼 차
림의 사나이가 말을 걸었다.
"표성희씨 보호자 되십니까?"
"예."
혁태는 도대체 이런 경우 자기가 보호자가 되는 건지 안 되
는 건지 잘 몰랐지만 그냥 대답했다. 일행이냐는 물음쯤으로
해석하고 싶었다.
"여기 좀 앉아요."
점퍼 사나이는 복도에 있는 장의자에 가서 먼저 앉으며 혁
태에게 자리를 권했다.
"나는 경찰관입니다. 참고로 물어볼 것이 있어서 좀 실례하
겠습니다."

점퍼 사나이는 수첩이 아닌 대학 노트 같은 것을 점퍼 주머니에서 꺼내더니 필기 준비를 하며 물었다.

"표성희씨와 선생과의 관계는……?"

"그걸 꼭 이야기해야 됩니까?"

"그렇습니다."

혁태는 잔뜩 심술이 났다.

"한 침대 위에서 잠자는 사입니다."

혁태는 이렇게 대답해 놓고는 어흠 하고 헛기침까지 했다.

"부인이시군요. 쉽게 말씀하세요."

경찰관이 빙그레 웃었다.

"꼭 마누라라야 한 침대 위에서 자나요?"

"예?"

경찰관이 쓰던 펜을 멈추고 혁태를 돌아다봤다. 별놈 다 보겠다는 표정이었다. 경찰관의 눈초리가 매서워졌다. 너 같은 시렁뱅이하고 지금 장난치고 있는 게 아니라는 표정이었다.

"가령 약혼자나 애인 같은 경우도……."

경찰관의 눈초리가 매섭다고 느끼자 슬그머니 말 꽁무니를 뺐다.

"나는 지금 공무 집행 중입니다. 정확한 말만 우리 주고받읍시다."

"예, 애인입니다."

정혁태가 무뚝뚝하게 말했다.

"주소, 성명을 좀 대주십시오."

이야기는 이런 식으로 한참 계속되었다. 언제 부산에 왔느냐, 어젯밤에 어디서 잤느냐, 다툰 일이 있느냐는 등 온갖 것을 다 물었다.

"선생, 이젠 제가 질문 좀 합시다."

대강 이야기가 끝나자, 정혁태가 이번에는 경찰관을 보고 물었다.

"말해 보슈."

경찰관은 시큰둥하게 대답하며 담배를 피워 물었다.

"표성희가 어디서 투신자살을 기도했습니까? 누가 걔를 구했습니까?"

"투신한 곳은 태종대 바위 위에서였어요. 바다에 뛰어들어 익사 직전에 있는 것을 새벽 산책 나왔던 조기 축구회 청년들이 건져냈어요. 이제 됐습니까?"

경찰관은 할 일 다 마쳤다는 듯이 대답하며 자리에서 일어섰다.

"조금만 더…… 근데 저하고 같이 왔다는 것을 어떻게 알고 호텔로 연락을 했습니까?"

"아가씨가 타고 온 스텔라 차가 언덕 위 길가에 서 있었어요. 그 차 안에 호텔 마크가 붙은 샌들이 놓여 있었죠. 그뿐 아니라 호텔 이름이 박힌 타월도 한 장 차 안에 있었거든요. 그래서 그 호텔 종업원을 불러 얼굴을 확인했던 겁니다. 아가씨는 신분증도 핸드백도 없었어요. 실신한 채 한참 뒤에 깨어났기 때문에 물어볼 수도 없었던 겁니다. 자, 이거 가져가십시오."

경찰관은 옆에 놓여 있던 조그만 핸드백을 건네주었다.

"이건 조금 전 종업원이 선생과 올 때 가져온 표성희씨 백입니다."

정혁태는 성희의 낯익은 핸드백을 받아 들며 아무 말도 하지 않고 다시 응급실로 돌아왔다.

도대체 무엇 때문에 성희가 자살을 기도했는지 도무지 이해가 가지 않았다.

점심때가 다 되어서야 성희와 혁태는 병원을 나왔다. 30여 미터나 되는 바위 위에서 바다 속으로 뛰어내렸지만 한 군데도 다친 곳은 없었다.

바다 속에서 정신을 잃은 채 물 위에 떴다 가라앉았다 하는 것을 동네 조기 축구회 청년 세 명이 뛰어들어 건져내고 그들이 부산대 종합병원 응급실까지 옮겨왔던 것이다.

응급실에서 서너 시간 치료를 받은 후 성희는 깨어났다. 그러고는 자신이 언제 그런 짓을 저질렀느냐는 듯 명랑했다.

바닷물에 젖은 옷을 몽땅 벗겨 버렸기 때문에 급한 대로 혁태가 시장에 나가 속옷이며 청바지, 블라우스를 사가지고 왔다. 평생에 여자 팬티하고 브래지어 사보기는 처음이라고 말하면서 성희에게 웃어 보였다.

"나도 총각이 사주는 팬티 입어보기는 처음인데…… 어쩐지 좀 부끄럽기도 하고……."

아무리 살펴보아도 새벽에 자살하려고 바다에 뛰어내린 여자처럼 보이진 않았다.

두 사람은 상당한 금액의 병원비를 치르고 병원을 나섰다.

"운전은 내가 할게."

병원까지 옮겨다 놓은 차를 혁태가 운전했다.

한참 동안 말없이 핸들만 잡고 있던 혁태가 한참 만에 입을 열었다.

"왜 그런 엉뚱한 생각을 했어?"

"……."

그러나 성희는 그 말은 들은 척도 하지 않았다.

"정말 아무 데도 아픈 곳은 없는 거야?"

"응."

성희는 어리광 부리듯 코 막힌 소리를 내면서 혁태의 어깨에 얼굴을 기댔다.

"글쎄 있잖아?"

"뭐가 있어?"

"바위 위에서 시퍼런 파도를 향해 훨훨 날아 내려갈 때의 그 기분, 이해할 것 같아?"

"이해할 수 없어."

혁태가 볼멘 소리로 말했다.

"그 기분, 아무도 이해 못 할 거야. 바위에서 바다에 떨어질 때까지 한 3, 4초의 짧은 순간이지만, 온갖 생각이 다 들었다니까. 내가 살아온 스물네 해가 VTR처럼 지나가는 거야. 그리고 내가 아는 모든 사람의 얼굴이 전부 눈앞에 아른거렸어. 불쌍한 우리 엄마의 웃는 얼굴, 아버지의 차갑고 매정한 모습, 그리고 슬픔에 젖어 심각해진 정혁태……."

"내가 왜 슬퍼?"

혁태가 듣고 있다가 말허리를 잘랐다.

"그럼 내가 죽는데 정형은 기쁘단 말이야?"

"내가 슬퍼할 일을 무엇 때문에 한 거냐구?"

"나도 모르겠어."

"이런 바보."

혁태는 한 손으로 성희의 머리를 가볍게 쥐어박는 시늉을
했다.

"호텔에서 새벽에 눈을 떠보니까 말야, 갑자기 모든 것이
절망스럽게 느껴졌어. 내 자신이 한심한 여자처럼 생각되었
어. 세상에서 가장 한심한 여자가 표성희라고 생각되었다
구. 결혼도 하지 않은 여자가 남자를 데리고 호텔 방을 예
사롭게 드나들지를 않나, 쫓겨난 어머니는 입에 풀칠하기도
힘들게 사는데 하룻밤에 수십만원씩 하는 호텔 방에서 남자
와 추잡한 아담과 이브 놀음을 하지 않나…… 하여튼 나는
내가 그렇게 미울 수가 없었어."

"그래서……?"

"그래서 무작정 어디엔가 도망을 가고 싶었어. 덮어놓고 차
를 몰고 달려나갔지 뭐. 한참 가다가 보니까 나도 모르게
영도의 엄마 살던 데를 가지 않았겠어. 어제 갔던, 문 잠긴
그 가게 말야. 그 가게를 보니까 갑자기 울컥 하는 생각이
들었어. 괜히 눈물이 막 쏟아지잖아. 그래서 그 길로 태종대
까지 막 밟았지. 가면서 나는 죽어야 된다고 생각했어. 후후
후, 참 철없는 계집애지? 그런데 말야, 참 이상해."

"뭐가?"

"병원에서 정신을 차리고 나서 내가 살았다고 생각하자, 갑
자기 그렇게 즐거울 수가 없었어. 후후후……."

성희는 정말 유쾌한 듯 마음 놓고 웃었다.

19

뜨거운 사장실

"장마담이 오늘 따라 더욱 아름답게 보이는군. 마담 유니버스 선발 대회 같은 게 있다면 틀림없이 일등할 거야. 정말 눈부셔."

"아이, 표사장님도 오늘 따라 왜 이러시는지 모르겠군요. 갑자기 사모님 생각이 나신 게 아녜요? 호호호."

"에이, 분위기 망치게 그 사람 얘기는 왜 끄집어내는 게야."

북창동에 있는 표준범의 사무실. 표사장과 기문숙이 사장실 소파에 마주 앉았다.

장마담으로 불리는 기문숙은 여전히 아름다웠다. 세련된 투피스 차림에 가슴에 꽂은 산호빛 장미 브로치가 매우 매력적이었다.

표준범 사장이 일부러 눈을 흘겨보았다.

"괜히 그러시지만 사모님 생각나시죠?"

"하긴 그 사람이 나쁜 사람은 아니었어. 재취로 나한테 왔지만, 원래 심성이 고운 사람이라 나와 우리 성희를 위해 잘해 주려고 애쓴 사람이었지."

"어머! 질투나네요. 그런 심정으로 어떻게 독수공방을 하셔요?"

기문숙은 정말 질투라도 하듯 입을 삐죽거리면서 말했다.

"그 사람 이야기는 그만두지."

"그래, 범인은 아직도 잡지 못했대요?"

기문숙이 분위기를 바꿀 생각으로 화제의 방향을 돌렸다.

"경찰인가 뭔가 하는 놈들은 뭣을 하는지 알 수가 없단 말야. 지금까지 그 사건이 자살인지 타살인지 사고사인지도 밝히지 못한 것 같아. 그래 가지고 타살이라면 어느 천년에 범인을 잡겠어? 한심한 놈들이야, 한심한 놈들."

표사장은 푸념을 늘어놓으며 일어서서는 냉장고를 열고 양주병을 꺼내 왔다. 잔 두 개와 소다수를 가져와 금방 칵테일 두 잔을 만들었다.

"목마른데 한잔 하면서 이야기할까?"

표사장은 잔 하나를 기문숙한테 내밀었다.

"위하여……."

그리고는 건배를 한 뒤에 천천히 술잔을 입술로 가져갔다. 입술에 술을 적시면서 눈은 기문숙으로부터 떼지를 않았다. 은근한 눈초리로 기문숙의 목덜미며 가슴께를 더듬었다.

"우리, 그 일은 어떻게 되는 거예요? 좀 진전이 있어요?"

기문숙도 표준범의 끈끈한 시선을 의식하면서 미소를 살짝 머금고 말했다.

"잘 돼 가고 있어. 곧 결말이 나게 될 거야."

"빨리 좀 해결되었으면 좋겠어요. 요즘 미국서 돈도 더 가져올 수 없고 아주 따분해요."

기문숙은 혀끝으로 술맛을 즐기며 말했다. 짜릿하고 화끈한 술맛이 혀끝에서 목 안 깊숙이로 천천히 전달되었다. 서서히 얼굴에 홍조를 띠기 시작했다.

표사장은 기문숙의 변화를 눈치채고 천천히 일어서서 기문숙이 앉아 있는 소파 뒤로 걸어갔다. 두 손으로 기문숙의 머리를 받치듯이 들고 희고 긴 목에 입을 맞추었다.

"열 올라요. 왜 이래요?"

기문숙은 손으로 표사장의 얼굴을 밀어내는 시늉을 했다. 그러나 싫지는 않은 모양이었다.

표사장이 이번에는 더 적극적으로 기문숙의 뺨에 입을 맞추었다.

"남의 여자한테 왜 이러실까?"

기문숙은 말과 행동이 전혀 달랐다. 더 못 참겠다는 듯이 벌떡 일어서서 표사장의 입술을 더듬었다.

"사모님 생각이 난 것이군요."

"그 여자 얘기, 하지 말라고 했잖아. 명주는 착한 여자였어."

"근데 왜 죽였어요?"

기문숙은 이렇게 말해 놓고는 아차 실수했구나 하고 속으로 생각했다. 펄쩍 뛸 줄 알았던 표준범이 의외로 아무 반응도 보이지 않았다. 한참 동안 기문숙의 뺨에 입을 맞추고 난 뒤에 나직이 속삭이듯 말했다.

"내가 명주를 죽였다고 생각해?"

"그럼 아니에요?"

"후후후, 그런 착하고 예쁜 여자를 내가 뭣 때문에 죽인단 말이야?"

"남의 속사정을 어떻게 알 수 있어요? 더구나 이불 밑에서 어떤 일이 있었는지 남이 어떻게 알 수 있어요?"

기문숙은 표준범의 목을 두 손으로 끌어당겨 이마에다 입을 맞추며 말했다.

"호호호……."

"왜 웃어?"

"이마에 루즈로 그림을 그렸죠. 명주가 봤다면 좋아하겠는데, 호호호……"

표준범은 그 순간 기문숙의 허리를 와락 껴안았다.

"밖에……."

기문숙은 표준범의 팔을 풀면서 문밖 쪽을 가리켰다.

"비서실 사람들을 내보내셔요."

기문숙은 비서실에 누가 있다는 것이 꺼림칙한 모양이었다. 표준범은 책상 위의 인터폰을 눌렀다.

"네, 사장님."

인터폰에서 상냥한 여자의 말소리가 튀어나왔다.

"집에 들어가도 좋아."

"네, 사장님."

인터폰은 뚝 끊어졌다.

"한 잔 더 할래?"

표준범이 넥타이끈을 풀면서 말했다.

"내가 칵테일을 만들게요."

기문숙이 냉장고를 열고 얼음과 양주병을 꺼내와 칵테일을 만들었다.

"이쪽으로 와."

술잔을 받아든 채 표준범이 기문숙의 팔을 잡고 곁에 있는 조그만 도어 앞으로 갔다.

도어를 열자, 별천지가 나타났다.

사장실의 절반만한 크기의 침실이 나타난 것이다.

"어머!"

기문숙이 깜짝 놀라 외쳤다.

몇 달 전에도 한 번 표준범과 사장실에서 정사를 가진 적이 있었으나 그때는 사장실의 푹신한 소파 위에서였다. 침대가 아니라 불편한 점이 없는 것은 아니었으나 사무실의 소파가 주는 특별한 분위기가 그것대로 괜찮은 점이 있다고 기문숙은 생각했었다.

그런데 사장실 옆에 호화판 침실이 있는 줄은 꿈에도 몰랐다.

"들어와 봐."

표준범이 기문숙의 팔을 잡아당겨 방으로 들어오게 했다. 기문숙이 들어서자 도어를 조용히 닫고는 찰카닥 하고 도어록을 잠가 버렸다.

침실은 여느 집 안방보다도 호화롭게 꾸며져 있었다.

침대는 싱글이었지만 화려한 색깔의 커버가 덮여 있었다. 창문께는 두텁고 육중한 암록색의 커튼이 쳐져 바깥 세계와 완전히 차단시키는 역할을 했다. 커튼만 젖히고 보면 밖에는

차의 홍수며 밀물처럼 흐르는 인파가 생존경쟁의 현장을 실감
케 하는 서울의 한복판이었다.

그러나 커튼의 안쪽은 아늑하고 평화로운 딴 세상이었다.

표사장은 달빛처럼 은은하게 조명을 조절한 뒤 나직한 음악
을 틀었다.

그런 분위기와는 달리 이번에는 거칠게 기문숙을 번쩍 들어
침대 위에 들어다 팽개치듯 내려놓고는 잡아 뜯어내듯이 기문
숙의 블라우스 단추를 풀어 내려갔다.

"왜 이렇게 급해요? 내가 풀 테니까 좀 서둘지 말아요."

기문숙은 표준범의 가슴을 두 손으로 떼밀어내고는 상반신
을 일으켰다. 그리고 자기 손으로 블라우스며 스커트를 벗어
서 발치께로 집어던졌다. 몸에는 베이지색의 브래지어와 팬티
만 남았다.

그 모양을 한참 넋 잃은 사람처럼 바라보고 있던 표사장이
와이셔츠의 단추를 단숨에 풀어 버리고는 와이셔츠를 허물벗
듯 벗어서 집어던졌다. 근육으로 단련된 우람한 상체의 맨살
이 드러났다. 가슴에는 검은 털이 목에서부터 배꼽까지 무성
했다.

기문숙은 표준범의 그런 모습을 황홀한 듯 쳐다보고 있었
다.

"이 방은 옛날에도 있던 거예요?"

기문숙이 분위기에 어울리지 않는 엉뚱한 질문을 했다.

"아니."

표사장이 지퍼를 주룩 소리가 나게 풀고는 바지를 벗어 땅
바닥에 집어던지며 말했다.

"전번에 사무실 소파에서 장마담을 안아봤더니 불편하기 짝이 없었어. 그래서 침실을 만들기로 했지."

표준범은 혀로 자기의 타는 입술을 적시면서 기문숙의 브래지어 끈을 풀었다.

약간 말라 보였지만 기문숙의 육체는 기막히게 탄력이 있었다. 가무잡잡한 피부에는 윤기가 흘렀다.

표준범이 삼각 팬티를 벗겨내자, 기문숙은 왼쪽 다리를 위로 향해 곧게 뻗었다. 어깨를 뒤로 젖히고 가슴을 위로 내밀었다.

꼭 대리석 조각처럼 아름다운 포즈가 침대 위에 나타났다.

표사장은 기문숙의 예술품 같은 그런 모습을 한동안 멍하니 바라보기만 했다. 참으로 범접하기 어려운 신성한 조각품을 감상하는 듯한 묘한 기분이 들었기 때문이었다.

더 이상 이 현실 세계에서는 없을 듯한 아름다운 모습을 일그러뜨리면서까지 자신의 욕심을 채워야 할까 하는 터무니없는 갈등이 일기조차 했다.

그러나 그것은 잠시 스쳐 가는 생각일 뿐, 표사장은 곧 성난 사자처럼 거칠게 기문숙의 육체 위에 엎어졌다. 그리고 닥치는 대로 폐 속으로 다 빨아들일 듯이 거친 숨결로 기문숙의 목덜미며 젖가슴에 입술을 가져다 댔다.

금세 팽팽해진 젖가슴의 포도알을 앞니로 잘근잘근 씹는 시늉까지 했다.

그 동안에 표사장의 두 손도 부지런히 기문숙의 구석구석을 탐색하고 있었다. 까칠까칠한 삼각 지대를 거쳐 표사장의 손이 은밀한 곳으로 천천히 접근하자, 기문숙은 더 못 참겠다는 듯이 히프를 위로 받쳐올렸다.

표사장의 탄탄한 가슴은 빨간 루즈로 온통 범벅이 되어 버렸다. 기문숙의 두 팔은 표사장의 허리를 깍지낀 채로 쓸어안고 몸부림을 쳤다.

입에서는 발음이 분명치 않은 신음이 새어나왔다.

표사장이 허리를 들고 마침내 기문숙의 깊은 마음속을 노크하기 시작했다.

기문숙은 표사장의 모든 것을 기막힌 쾌락의 광장으로 유도했다. 쾌락의 광장으로 가는 길은 매끄럽고 즐거웠다. 그 쾌락의 광장에는 한 패의 농악대가 들이닥쳤다. 그들은 꽹과리를 빠른 템포로 치는가 하면 천천히 큰 동작으로 징을 치기도 했다. 때로는 여울 물살처럼 빠른 장구를 치기도 했다. 풍각 소리가 빠르고 고음으로 변해 갔다.

기문숙과 표준범은 그 풍악대와 더불어 온 힘을 다해 춤을 추었다. 온몸이 땀으로 범벅이 되었다.

위를 향해 치닫던 농악은 마침내 악기가 낼 수 있는 온갖 소리를 다 내며 절정을 이루었다. 절정에 달한 농악은 어느 지휘자의 지휘도 없이 어느 한순간 뚝 그쳤다.

뜨겁게 달아오른 침실의 공기가 천천히 두꺼운 커튼 사이로 빠져나가기 시작했다.

"표사장님, 정말 오늘은 굉장하네요."

기문숙이 녹초가 된 듯 침대 위에 사지를 뻗고 누운 채 감탄을 했다.

표사장은 담배에 불을 붙여 두어 모금 빤 뒤에 누워서 꼼짝 않고 있는 기문숙의 입에 가져다 물려주었다.

  기문숙은 그래도 움직일 생각은 않고 담배연기만 한참 빨아
들인 뒤에 천천히 옆으로 몸을 돌려 누우며 벗은 채 소파에
앉아 있는 표사장을 넌지시 바라보았다.
  엄청난 충격으로 완전히 넋을 잃은 사람의 모습 같았다.
  "샤워 안 해?"
  표사장이 빙긋 웃으며 말했다.
  "김명주의 영혼이 우리를 얼마나 질투할까?"
  기문숙이 엉뚱한 말을 했다.
  "장마담은 꼭 중요한 대목에 가서 엉뚱한 소리를 한단 말
야. 죽은 사람이 우리가 무슨 짓을 하는지 어떻게 알아!"
  표사장이 기분을 잡친 듯 화장실로 들어가며 말했다.
  그때였다. 사장실의 전화가 울리기 시작했다.
  두 번, 세 번…… 여섯 번. 벨이 계속 울렸지만, 표사장은 욕
실에서 나오지 않았다. 한참 만에 욕실에서 표사장의 목소리
가 샤워 물소리에 섞여나왔다.
  "이봐, 장마담, 전화 좀 받아."
  기문숙은 못 이기는 듯 천천히 일어나 사장 집무실로 갔다.
큼직하고 푹신한 사장 의자에 털썩 앉았다. 실오라기 하나 걸
치지 않은 맨살에 닿는 의자의 촉감이 퍽 좋았다.
  전화 수화기를 잡으려고 팔을 내밀자, 탱탱한 두 개의 유방
이 책상 유리 위에 복숭아처럼 동그마니 얹혔다.
  "여보세요."
  기문숙이 맥빠진 목소리로 송화기에 대고 말했다.
  "거기 표준범 사장 사무실이죠?"
  굵직한 남자의 목소리가 들렸다.

"그런데요. 누구시죠?"

"잔소리 말고 표사장 바꿔."

전화 속의 목소리는 거칠고 다급했다.

"누구시라고 여쭐까요?"

"지랄하고 자빠졌네. 사장이나 바꿔. 누군 누구야, 나지."

"이봐, 뭐하고 자빠진 놈인지는 모르지만 전화를 그 따위로 거는 놈이 어딨어!"

기문숙도 약이 바싹 올라 목청껏 큰 소리로 고함을 질렀다.

"비서 년이 건방지잖아. 빨리 표사장이나 바꿔."

기문숙은 분을 참지 못해 벌떡 일어서서 주먹으로 책상까지 치면서 소리소리 질렀다. 벌거벗은 여자가 전화기를 붙들고 악을 쓰고 있는 모습은 참으로 보기 민망한 광경이었다.

"뭐야?"

그때 표사장이 샤워를 끝내고 런닝셔츠와 바지만 입고 나오면서 물었다.

"글쎄 어느 미친 녀석이……."

기문숙이 흥분해서 말을 제대로 못 하자, 표사장이 수화기를 뺏어 들었다.

"누구십니까?"

수화기에서는 무슨 소리가 났다. 그러나 곁에 씩씩거리면서 있는 기문숙에게는 들리지 않았다.

"그래서?"

표사장의 목소리가 부드러워졌다. 금세 기가 죽은 표정이 되었다.

"그래, 알았어. 조금만 참아. 나 약속 안 지키는 놈 아니야."

표사장은 계속 비굴한 목소리로 말하면서 기문숙을 안으로 들어가라고 눈짓했다.

기문숙은 입을 삐죽해 보이고는 침실로 들어가 버렸다. 그녀는 거칠게 담배를 꺼내 물고 성냥불을 확 그어댔다.

"앗 뜨거!"

성냥불을 어떻게나 거칠게 켰는지 동강난 화약이 벌거벗은 아랫 배에 떨어지는 바람에 자신도 모르게 비명을 질렀다.

기문숙은 표사장이 꼼짝 못 하는 것을 보면 큰소리 칠 만한 상대이거나, 아니면 무슨 약점을 잡힌 게 아닌가 하는 생각이 들었다.

전화를 끊고 침실로 들어온 표사장은 아무 소리도 않고 와이셔츠부터 챙겨 입기 시작했다. 굳은 표정이었다.

"어떤 놈이에요?"

기문숙이 표사장의 표정을 살피면서 조심스럽게 물었다.

"알 것 없어. 장마담도 옷이나 걸쳐."

표사장의 표정은 여전히 풀어지지 않았다.

"협박당할 일 있어요?"

"협박, 웃기지 마. 천하의 표준범을 어느 놈이 협박해!"

기문숙이 무심코 해본 소리였으나, 표준범은 뜻밖에 크게 화를 냈다. 굳어진 표정이 일그러져 이젠 무섭게 보였다.

"무서워서 어디 숨이나 쉬겠나. 누가 자기 범 아니랄까봐 그래? 준범인지 표범인지, 본색 드러내는 거야? 남자란 범 새끼들은 침대 떠날 때는 언제나 저 모양이라니깐."

기문숙이 혼잣말처럼 중얼거리며 침대 밑에 팽개쳐 버린 까만 팬티를 주워 입었다.

옷을 다 입은 두 사람은 아무 말도 하지 않고 사무실을 나왔다. 엘리베이터를 타고 내려와 빌딩 현관을 나설 때까지, 두 사람은 누구도 말하지 않았다.

"배 안 고파?"

표준범이 기문숙을 돌아보며 불쑥 말했다.

거리는 벌써 어두워졌고 지나가는 차들은 헤드라이트를 켜고 다녔다.

기문숙은 슬그머니 표준범과 팔짱을 끼면서 슬픈 생각이 들었다.

돈도 미모도 다 가졌지만, 없는 게 너무 많은 것 같았다.

마음에 드는 남자라면 다 굴복시켜 보았지만 허전한 가슴을 채울 수는 없었다. 기문숙은 남자와 사랑을 나누고 호텔이나 별장의 대문을 나설 때면 항상 이런 비참한 생각이 들었다. 목적 없이 육체를 불태운 자신이 미웠다.

그녀는 문득 '남편' '바깥주인' '아빠' 같은 말을 생각해 보았다. 그것은 자기에게는 너무나 멀리 있는 파랑새였다.

표준범과 함께 어두운 북창동 길을 걸어 나오면서 얼굴에는 자신도 모르게 뜨거운 눈물이 주룩 흘러내렸다.

20
제2의 살인

"그러면 이 골프채가 흉기란 말이지?"

추경감이 고물 지포 라이터로 담뱃불을 붙이려고 계속 철거덕거리며 말했다. 지포에 불은 켜지지 않고 라이터돌만 다 닳는 것 같았다.

보다 못한 강형사가 가스 라이터로 불을 켜대자, 그는 훅 불어 꺼버리고 담배도 구겨서 재떨이에 버렸다.

"반장님, 아직 감식이 끝나지 않았습니다. 담배를 그런 데 마구 버리면 어떻게 합니까?"

강형사가 핀잔을 주었다. 추경감은 그제야 빙그레 웃으며 재떨이에서 꺾여진 담배 개비를 다시 집어 들어 종이에 싼 뒤 호주머니에 넣었다. 마치 개구장이 아이가 동네 아저씨한테 꾸중 듣고 멋적어하는 모습과 같았다.

"후후후……."

강형사는 손으로 입을 막으며 웃음을 참았다.

"그래, 흉기는 이 골프 치는 빳따뿐이란 말이지?"

추경감이 다시 물었다.

"반장님, 자꾸 빳따 빳따 하지 마십시오. 퍼터예요, 퍼터. 빳따가 뭡니까?"

강형사가 또 핀잔을 주었지만, 마음씨 좋은 추경감은 그저 머리만 긁적긁적하며 무안해했다.

"그래 그래, 퍼턴지 방맹인지……."

"빳따란 야구 방맹이고, 이건 퍼터라고 하는 거예요. 무식 하단 소리 들어요."

강형사가 주위를 둘러보며 나직이 말했다.

피살된 남자 시체가 모로 누워 있는 고급 카핏 주변에서 감 식반 형사들이 세심히 증거 수집과 지문 채취를 하고 있었다.

사나이 주변에는 황금으로 만든 최고급 퍼터가 놓여 있고, 사나이의 머리에서 흘러나온 혈액이 양탄자에 말라붙어 있었 다.

"범인은 이 퍼터를 휘둘러 사람을 죽였단 말이지. 야, 그놈 의 골프채 무시무시하구나."

추경감은 골프채를 이리저리 살펴보며 혼잣말 비슷이 중얼 거렸다. 보통 사람들로서는 만져 보기도 어려운 귀한 골프채 가 흉기로 둔갑했다는 데 더욱 당혹감을 느끼는 듯했다.

그 퍼터는 거실 벽에 장식용으로 걸어놓은 고가품이었고, 케네드 스미드라는 오더 메이드였다.

보라색 샤프트 끝에 수십 냥 정도는 됨직한 황금 헤드가 달 려 있고, 손잡이 부분에는 보석이 달린 엄청난 고급품이었다.

　　표준범의 으리으리한 저택 한가운데 거실에서 이 집의 집사
격인 최병호가 피살체로 발견된 것이었다.
　　최병호의 시체를 제일 먼저 발견한 사람은 이 집의 열다섯
살 난 가정부 꼭지였다.
　　꼭지는 이 집 가정부인 영주댁 일을 거들면서 야간 중학에
다니는 소녀였다.
　　아침이면 늘 제일 먼저 일어나는 부지런한 꼭지가 새벽녘 2
층에서 내려와 거실에 들어서다가 최병호의 처참한 시체를 발
견한 것이었다.
　　"이 골프채 외에는 딴 흉기가 없는 것 같습니다."
　　강형사가 웃지도 않고 말했다.
　　"뭐라고 했지? 퍼턴지 빳따인지…… 뭐 우린 무식한 형사들
이니까 괜찮아. 그렇다면 이 빳따로 뒤통수를 세게 내려쳐
서 죽였다는 말이군. 뒤통수를 맞은 것으로 보아 돌아서 있
는 새 기습한 것이라고 할 수 있겠구먼."
　　추경감이 추리를 했다.
　　"그런 것 같습니다. 골프채를 휘두르는 사람 옆에 있다가
머리를 맞아 죽는 사고가 가끔 있죠. 무서운 흉기도 되거든
요. 힘껏 내려친다면 치명적인 게 될 수가 있습니다."
　　"어때? 여자의 힘으로는 어렵지 않을까?"
　　추경감이 강형사의 의견을 물었다.
　　"여자라고 해서 안 된다고 말할 수는 없겠죠."
　　"다른 데 상처는 없나?"
　　"지금 외견으로 보기는 딴 곳에 상처가 있는 것 같지는 않
습니다."

"오늘 새벽 발견될 때 집에는 누구누구 있었나?"

"식구들은 거의 다 있었습니다. 표사장은 안방에서 자고 있었고, 따님인 표성희씨는 2층에서 자고 있었습니다. 그리고 꼭지와 영주댁도 2층 방에서 잤고, 기사인 박씨는 거실 끝에 있는 쬐끄만 방에서 잤다고 합니다."

강형사가 손가락질까지 하며 설명했다.

"그렇게 온 식구가 있는 가운데 이렇게 사람이 죽어도 모른단 말인가?"

추경감은 어이가 없다는 듯이 말했다.

"각각 자기 방에 있으면 거실에서 일어나는 일이 잘 들리지 않습니다."

"어젯밤 몇시 몇시에 들어왔나?"

"표사장은 술이 거나하게 돼 가지고 밤 열두시께 돌아왔답니다. 박기사가 모시고 왔다니까, 두 사람이 열두시께 들어온 거죠."

"문은 누가 열어주었나?"

추경감이 물었다.

"아무도 안 열어주었습니다. 이 집 대문은 표사장의 그라나다 차 헤드라이트 불빛을 받으면 자동적으로 열립니다. 현관문은 박기사가 카드로 열었습니다."

"카드로 열다니?"

추경감이 의아스러운 듯 물었다.

"이겁니다."

강형사는 명함처럼 생긴 얄팍한 카드를 추경감 얼굴 앞에 살래살래 혼들어 보였다.

"요즘은 열쇠를 쓰지 않고 전자 감응식 자물쇠를 설치해 놓고 있죠. 이 카드를 집어넣으면 자물쇠가 카드에 적힌 암호를 읽고 문을 열어준답니다."

"허허, 그것 참. 호텔서 밥 먹고 밥값 내는 데만 카드 쓰는 줄 알았는데, 그런 데도 쓰이다니……?"

추경감은 강형사의 손에서 카드를 뺏어 들고 이리저리 살펴보며 어린아이처럼 신기해했다.

"그럼 표성희양은 몇 시에 들어왔나?"

그때였다. 2층으로 올라가는 계단에서 말소리가 들렸다.

"초저녁에 들어왔어요. 증거를 대라면 증거는 없어요."

무심코 소리나는 쪽을 쳐다보던 사람들의 시선이 전기에 감전된 듯 모두 얼어붙어 버렸다.

짧은 스커트를 입은 성희가 계단 위쪽에 쪼그리고 앉아 있었기 때문이었다. 그런 그녀의 포즈는 늘씬하고 희부연 각선미가 완전히 드러나 있었다.

싱싱한 처녀의 모습을 가장 인상 깊게 나타낸 도발적인 포즈는 보는 이들의 눈길을 얼어붙게 했다.

"어흠, 어흠……."

추경감이 민망스러운 듯 헛기침을 몇 번 했다.

모두가 어안이벙벙한 모습을 하자, 표성희는 재미있다는 듯이 생긋 웃었다. 그리고는 다시 무릎을 포개고 편안히 앉았다. 그 모습을 밑에서 올려다보기에는 쪼그린 자세 못지않게 뜨겁게 보였다.

"몇 시쯤 들어왔나?"

추경감이 다시 물었다.

190

"글쎄요, 한 여덟시쯤 됐을까요?"

"누가 문을 열었나?"

"저기 꼭지가 열어주던걸요."

"그때 최병호를 보지 못했습니까?"

강형사가 계단 위를 올려다보며 물었다. 눈이 부신 표정이었다. 성희는 포개 얹은 한쪽 다리를 흔들흔들하면서 대답했다.

"봤으면 안마라도 해달라고 했지 그냥 뒀겠어요?"

"예, 안마라니오?"

강형사가 눈이 둥그래졌다.

"왜요? 이상해요? 최병호 그 사람, 솜씨가 좋아요. 허리, 팔 다리, 배, 목 안마 솜씨가 일품이라구요."

"아니, 분명히 이야기합시다. 최병호가 미스 표의 허 허리, 파 팔 다리 안마를 해준단 말입니까?"

강형사가 말까지 더듬으며 물었다.

"그럼요, 뭐가 이상해요?"

"아아뇨, 뭐 이상할 것 없습니다. 아무렴, 없구말구요."

강형사는 기가 막혀 더 물을 수가 없는 모양이었다.

"그때 거실에 누가 있었나?"

추경감이 물었다.

"거실이라구요? 거긴 뭣하러 내가 들어갑니까? 거긴 파파 거실이에요."

그러고는 성희는 발딱 일어서서 팔짱을 낀 채 그들 시야로부터 사라져 버렸다.

"표사장은 어디 계신가?"

추경감이 묻자, 강형사가 턱으로 안방 문을 가리켰다.

추경감은 점잖게 안방 문에다 노크를 했다. 그러나 아무 대답이 없었다. 두 번째 노크를 했다. 그래도 아무 대답이 없었다. 추경감이 천천히 안방 문을 잡아당겼다.

표사장은 널찍한 안방 한복판에 있는 혼들의자에 혼자 앉아 있었다. 바깥의 소동을 못 본 체했다. 사람이, 그것도 자기가 부리던 사람이 자기 집에서 피살되었는데도 저렇게 태연할 수 있을까 하고 추경감은 생각했다. 아니, 태연한 척 가장하는지도 모른다는 생각이 들었다.

"이거, 표사장님 오랜만입니다."

추경감은 활짝 웃어 보였다. 말이 웃는 모습이지 추경감이 웃을 땐 약간 벗어진 앞이마까지 얼굴이 온통 주름투성이가 되었다.

"추경감이시군. 수고하십니다."

표사장은 혼들의자에 앉은 채 말했다.

"어쩐지 골치가 좀 아파 꼼짝할 수가 없어서……. 이거 미안합니다. 좀 들어오시죠."

추경감은 방으로 들어가 맞은편에 있는 조그만 우단 소파에 앉았다.

"이런 변이 이 집에서 두 번이나 생겨 퍽 상심되시겠습니다."

"상심이고 뭐고, 나 이눔의 집 팔아치우고 딴 데로 가야지, 원! 이렇게 재수없는 집 첨 봤다니간."

표사장이 홍분한 목소리로 천장을 둘러보며 불평했다.

"어수선한데 이거 미안합니다만, 몇 가지만 물어보겠습니

192

다."
추경감이 슬금슬금 표사장의 눈치를 살피며 말했다.
"최병호가 죽은 걸 언제 아셨습니까?"
"그거요? 한참 자는데 밖에서 기집애가 죽는 소리를 해 나가 봤더니, 글쎄……."
"어젯밤에 들어오실 때는 못 보셨나요?"
"들어올 땐 거실을 들여다보지 않고 그냥 방으로 왔기 때문에 전혀 모르겠는걸요. 아니, 어젯밤 어떻게 집에 왔는지도 잘 기억이 안 나요. 약주가 너무 과해서……."
"사장님은 약주도 좋아하시지 않잖아요? 그런데 과음하셨군요."
"그랬던 것 같아요. 바이어들과 어울려서 그만……."
"바이어라니오?"
"독일서 온 봉제품 구입 상인들인데 어떻게나 술을 마셔대는지……. 요즘 한국 드나드는 코 큰 놈들은 한국식 접대에 이력이 나서 그 큰 코가 비뚤어지도록 술을 마신 뒤에도 그냥 떨어지지 않아요."
"그냥 떨어지지 않다뇨?"
"거 왜 이거 붙여 줘야 떨어진다니까요."
표사장이 새끼손가락을 펴보였다.
"어젯밤에도 그랬나요?"
"물론이죠. 호텔 벨보이를 불러 돈까지 건네준 것은 기억하는데……. 이거, 그 뒤에 필름이 뚝 끊어져서 아무리 생각해도 잘 기억이 안 난단 말야. 어떻게 생각하면 집에 들어온 것이 생각나는 것 같기도 하고……."

표사장은 계속 이마를 감싸쥐면서 생각을 짜내려고 애를 쓰는 것 같았다.

"최근 최병호 주변에 무슨 수상한 일 없었나요?"

"글쎄요, 내가 워낙 바빠서 그런 놈들 뭘 하는지 신경쓸 시간이 없었거든요."

"그러시겠죠. 최병호는 가족이나 친척이 없나요?"

"왜 없겠어요. 죽은 아내의 고향 사람인데 연락을 해놨어요. 시골에 어머니 혼자 있다고 하던가……."

"어떻게 해서 이 집에 오게 됐나요?"

"죽은 아내가 친척 부탁을 받고 데려온 것 같은데……."

표사장은 그 부분에서 별로 명확하게 답변을 하지 않았다.

"한 가지만 더 묻겠습니다. 자다가 무슨 소리 들은 것 같지 않습니까?"

"아하, 그러니까 생각나는군요. 자다가 머리가 아파 눈을 떴더니 밖에서 퍽 하는 무슨 소리가 들렸어요. 호박이 깨지는 소리 같았는데…… 귀를 기울였지만 더 아무 소리도 안 나 그냥 잤지요."

추경감은 눈이 둥그래졌다.

21

눈밭에서 꺾인 순결

"역시 그렇군요. 어쩐지 이상한 냄새가 나더라니까."

강형사는 컴퓨터 조회 용지를 들고 들어오며 투덜거렸다.

"뭐가 역시 그렇단 말인가? 큼직한 잉어라도 잡았나?"

추경감이 손에 든 책을 열심히 읽으며 강형사를 쳐다보지도 않은 채 말했다.

"반장님, 그게 무슨 책입니까? 새삼스럽게 입시 공부를 하시는 것도 아닐 테고……."

"입시? 후후후, 그때가 좋았지."

"아니, 이건 시집 아닙니까? 반장님이 정말 웬일이십니까? 시집을 다 읽으시고……."

강형사는 눈을 둥그렇게 떠 보였다.

"왜 나는 시집 읽으면 안 되나? 자네만 뭐 문학 청년이었는 줄 아나? 나도 고등학교 다닐 때는 문예반에서 날리던 사람이야. 어쩌다가 인생 길을 잘못 들어 이렇게 됐지만 말야."

추경감은 회상에 잠기듯 담배연기를 길게 뿜어내면서 지긋이 눈까지 감았다.

"잘못 들다뇨? 반장님은 이 길로 든 것이 훨씬 잘 된 겁니다. 한국의 미스 마플, 추경감 아니십니까?"

"예끼 이 사람, 내가 늙은 마귀 같은 그 할머니 탐정이란 말이야?"

추경감은 말과는 달리 기분이 좋은 듯 만면에 웃음을 띠었다. 동안에 주름이 가득 피어났다.

"이래뵈도 저는 중학교 때는 전국 시조 백일장에서 장관상을 타고, 고등학교 때는 전국 고교생 산문 백일장에서 가작 입선도 한 역전의 노장입니다."

강형사는 학창 시절의 회상이 즐거운 듯 흐뭇한 표정을 지었다.

"난 그런 화려한 경력은 없지만, 그래도 문학과 인생의 깊은 세계를 찾아 고민하던 진솔한 문학도였다네. 도스토예프스키의「죄와 벌」을 읽으며 세상의 모든 고민을 혼자 뒤집어쓴 듯 괴로워하기도 했고, 「젊은 베르테르의 슬픔」을 읽으며 코스모스밭에 앉아 눈물을 흘리기도 했지."

"와아, 우리 반장님, 정말 멋장이셨습니다."

강형사는 도저히 믿기지 않는 일을 목격한 듯 감탄으로 열린 입을 다물지 못했다.

추경감의 기계적인 사무 지시와는 달리 어딘지 모르게 한 구석이 빈 듯한 그의 행동 뒤에는 이런 다른 면이 있다는 것을 강형사는 오늘 처음으로 발견했다.

　추경감과 함께 일한 것이 3년도 넘었지만, 이런 이야기를 한 것은 처음이었다. 강형사는 늘 자기가 문학 청년이었다는 것을 자랑삼아 늘어놓았지만, 추경감은 그저 빙그레 웃고 부러운 듯 듣고만 있었던 것이다.

　"문학 청년의 꿈에만 젖어 있을 게 아니라, 그게 어떻게 되었다고?"

　추경감이 피우던 담배를 재떨이에 아무렇게나 쑤셔넣으며 말했다.

　"글쎄, 그 최병호란 녀석 말입니다. 왜 그 표사장 집에서 골프채에 맞아 죽은 녀석 있잖습니까. 그 녀석 신원 조회를 해봤더니 전과 3범이더군요. 어쩐지 그 녀석한테서 그런 냄새가 난다고 생각했었거든요."

　강형사가 컴퓨터 조회 용지를 혼들어 보이며 말했다.

　"그것뿐야? 그건 김명주 피살 사건 때 다 해본 조회 아냐? 그게 무슨 전과였더라?"

　"사기, 폭행입니다. 폭행 중에는 추행 미수도 있습니다."

　"최병호 고향이 죽은 김명주와 같은 전북 이리라고 했지?"

　"그렇습니다. 김명주가 시집 온 뒤 고향에서 데려다가 집안 일을 보게 했다고 하더군요. 형식적으로는 표사장이 경영하는 오퍼상의 직원으로 되어 있습니다만, 회사 일은 거의 하지 않고 집안에서 잔심부름이나 하고 지냈더군요. 그의 과거에 대해 아는 사람은 거의 없구요."

　"그러면 김명주와 무슨 관계가 있었던 것은 아닐까? 가령 예를 들면 어릴 때 같이 자랐다든가, 인척 관계라든가?"

　"김명주의 고향으로 사람을 보냈으니까 곧 돌아올 겁니다.

그쪽 부분만 알아 온다면 여기서 조사한 것과 연결을 시켜 보겠습니다."

강형사는 이튿날 김명주의 고향에서 조사를 마치고 온 동료 형사의 보고를 받은 뒤 최병호의 짧은 일생을 재구성해냈다.

최병호는 추경감의 추측대로 어릴 때부터 고향에서 김명주와 함께 자랐었다.

최병호가 김명주보다 나이가 열 살 이상 많았지만, 오누이처럼 데리고 다니면서 소꿉장난도 같이 하며 지냈다고 했다. 그러나 김명주의 아버지는 최병호를 몹시 싫어했다. 최병호의 아버지가 동네에서도 이름난 술주정뱅이였을 뿐 아니라, 그의 어머니는 그런 남편이 싫어 도시로 도망을 가버린, 희망 없는 집안이었기 때문이다.

그런 하잘 것 없는 집안에서 자라는 최병호를 동네 어른들은 다 싫어했다.

김명주가 나이 들면서 아버지의 사업을 따라 도시로 공부를 하러 나가게 되자 자연히 최병호와는 떨어지게 되었다. 최병호네 집 형편으로는 병호가 도시에 나가 학교를 다닐 처지가 못 되었다. 국민학교를 겨우 마친 병호는 여름 방학 때 농활 학생들이 와서 여는 야학에서 중학 과정을 조금 익혔을 정도였다.

김명주는 방학 때면 고향에 왔다.

그럴 때면 최병호와 자주 마주쳤다. 유난히 얼굴이 예쁜 명주는 중학생이 되면서부터 벌써 처녀티가 나기 시작했다. 얼굴이 갓 피어난 복사꽃처럼 화사하고 길었으며, 흰 목은 한껏 귀티를 내주었다. 싱크로나이즈드 선수 생활을 하면서 체격은 더욱 다듬어졌다.

교복 단추가 터질 듯 가슴이 팽팽하게 부풀고, 히프는 차츰 실박한 새색시를 닮아 갔다.

검은 교복 스커트 밑으로 쭉 뻗은 종아리는 도시의 모델 아가씨처럼 멋있었다.

김명주가 이렇게 물 오른 버들강아지처럼 변해 가고 있을 때, 최병호는 서른이 가까운 노총각으로 변해 갔다. 그러나 주정뱅이 아버지 밑에 매여 동네 날품팔이나 하고 자라는 신세가 된 그는 명주를 볼 때마다 열등감으로 얼굴을 붉혔다.

명주는 그런 병호가 안타까웠다. 여학생의 동정심은 차츰 걷잡기 힘든 애정으로 변해 갔다.

명주가 고등학교 2학년이던 어느 겨울 방학 때, 두 사람은 마침내 일을 저지르고야 말았다.

눈이 펑펑 쏟아지던 음력 설날, 고향에 내려와 있던 명주는 동네 어귀에서 병호와 마주쳤다. 명주는 병호의 얼굴을 보자 왠지 가슴이 방망이질하는 것을 느꼈다. 공연히 얼굴이 달아올랐다.

지난 여름 방학 때 만나고는 처음이었다.

"야, 명주, 오랜만이다."

병호가 멋적은 웃음을 흘렸다. 오랜만에 만난 사람치고는 친숙한 모습이었다.

"정말 오랜만이군요. 잘 있었나요?"

명주는 어물어물 말끝을 흐렸다. 어쩐지 전 같지 않은 서먹서먹함을 느꼈다.

"눈이 많이 오시네요."

잠시 서로 얼굴만 쳐다보다가 명주가 먼저 말을 꺼냈다.

"응, 올핸 풍년이 들려나봐. 설날 눈이 오면 풍년 든다고 어른들이 그랬거든……."

두 사람은 나란히 걸어 동네로 들어왔다.

"저기 필자네 집은 아직 비었어요?"

명주가 동네 어귀에 있는 집을 턱으로 가리키며 물었다.

필자네는 작년 봄에 도시로 이사를 가버리고, 집은 그냥 비어 있는 채였다. 필자네 집 뿐만 아니라 늙은 부모가 지키고 있던 몇몇 집도 출세한 아들을 따라 부모들이 모두 도시로 가버리고 텅 비어 있었다.

명주네가 살던 집도 그 뒤 젊은 농군 내외가 살다가 지금은 폐허가 되어 버렸다.

"응, 아무도 살 사람이 없나봐. 그렇다고 주인 허락도 없이 동네 사람들이 그냥 헐어 버릴 수도 없잖아."

"우리, 저 집에 한 번 가봐요."

명주는 어릴 때 그 집 마당에서 땅따먹기를 하고 놀던 생각이 났다.

"좋아."

두 사람은 텅 빈 필자네 집 마당으로 들어섰다.

눈이 수북이 쌓인 마당이 더없이 쓸쓸하게 보였다. 창호지를 바른 창문은 다 찢겨서 도깨비집처럼 종이가 너울거렸다.

두 사람은 아무 말도 하지 않고 집을 한 바퀴 돌아보았다. 대문은 아예 한 짝이 달아나 버리고 없었다. 돌담은 여러 군데가 허물어져 있어 있으나마나였다.

"우리, 들어가 볼래?"

　두 사람은 서로 얼굴을 마주 보며 생긋 웃었다. 눈으로 동의
를 표시했다.
　두 사람은 먼지가 가득한 마루 위로 올라섰다.
　어깨며 머리에 눈을 가득 뒤집어쓰고 있었다.
　명주는 얌전하게 눈을 털어냈다. 병호는 두 손으로 머리며
어깨를 우악스럽게 툭툭 쳐서 눈을 털어내고는 명주의 코트
어깨에 얹힌 눈도 털어주었다.
　병호의 큼직한 손이 어깨며 목덜미에 닿자, 명주는 괜히 전
기에 감전이라도 된 듯 움찔움찔했다.
　"명주!"
　"응?"
　"예뻐졌어. 정말이야."
　"……."
　눈을 털어주던 병호가 갑자기 명주의 어깨를 껴안았다.
　"어머! 왜 이래?"
　깜짝 놀란 명주가 병호의 품에서 빠져나가려고 애를 썼다.
그러나 억센 병호의 양팔을 벗어나기가 힘들었다.
　명주는 온 힘을 다해 병호의 가슴을 밀어내고는 방안으로
뛰어들어갔다.
　방안에는 먼지가 한 치나 쌓여 발밑에서 푸석거릴 정도였
다.
　명주는 뒤의 툇마루로 나가는 사잇문을 열고 뒷마당으로 나
갔다.
　병호가 곧 뒤쫓아와 다시 명주의 어깨를 싸안았다.
　명주는 빠져나가려고 안간힘을 쓰면서 뒷걸음질을 쳤다. 등

에 감나무 둥치가 닿았다. 어릴 때 그 감나무에 붙은 매미를 잡기 위해 오르내리던, 손때 묻은 감나무였다.

명주는 더 이상 밀려날 수도 없어 그냥 가만히 있었다.

힘 좋은 노총각 최병호는 뜨거운 입김을 명주의 얼굴에 퍼부었다. 두툼한 입술이 명주의 얇고 작은 입술을 덮쳤다. 마치 매가 참새를 덮치듯 했다.

명주는 얼굴을 돌려 필사적으로 피하려고 했으나 어쩔 도리가 없었다.

"이러지 말아요. 자꾸 이러면 소리칠 거야."

명주가 최후 통첩을 보냈다.

"소리쳐 봤자 서로 창피만 당해. 명주가 내 마누라라고 막 소문낼걸."

최병호는 흰 이를 드러내 보이며 탐욕으로 불타는 눈에 웃음을 흘렸다.

"여기서 소리쳐 봐. 아무리 큰 소리로 사람을 불러도 아무도 오지 않아. 여긴 외딴집이니까 절대 다른 집까지 들리지 않을 거여."

병호는 더 못 참겠다는 듯이 명주의 귓불이며 턱을 두툼한 입술로 마구 문질러댔다.

우악스런 왼손이 명주의 가슴을 더듬다가 학생복 속으로 밀고 들어왔다.

"병호 오빠, 제발 이러지 마, 응? 병호 오빠……."

명주는 애원하며 병호의 팔을 붙잡고 늘어졌다. 그러나 이미 눈이 뒤집힌 병호한테 그런 소리가 들릴 턱이 없었다.

병호의 억센 손이 명주의 가슴을 더듬다가 스커트 자락을 걷어올렸다.

"병호 오빠……."

명주의 애원은 이제 비명으로 바뀌었다. 그러나 병호의 작업은 멈춰지지 않았다.

병호는 자기가 위에 걸치고 있던 낡은 오버를 벗어 눈 위에 폈다. 그리고는 억센 양팔로 명주의 가녀린 허리를 뒤로 꺾어 오버 위에 명주를 쓰러뜨렸다.

명주는 계속 발버둥을 쳤지만 소용이 없었다.

쓰러져 가는 빈집의 뒤뜰, 눈이 수북이 쌓인 감나무 밑에서 뜨거운 장면이 벌어졌다. 하늘에서는 계속 라일락 꽃송이만한 눈송이가 마구 쏟아졌다.

명주의 스커트를 걷어올린 병호는 눈발을 등뒤에 맞으며 명주를 끌어안고 몸부림을 쳤다.

펑펑 쏟아지는 눈송이가 명주의 애절한 비명도, 병호의 뜨거운 숨결도 함께 삼켜 버렸다.

명주가 고이 간직해 온 순결의 꽃송이는 이렇게 해서 꺾여 버리고 말았다.

22
세대 차이

"나쁜 놈 같으니라고. 그놈, 짐승만도 못한 놈 아니야?"

이야기를 듣고 있던 추경감이 주먹을 불끈 쥐고 벌떡 일어섰다. 백전 노장의 형사답지 않게 추경감에게서는 그런 일에 흥분 잘하는 순진한 정의파의 모습이 가끔 엿보였다.

"그러나 이상한 것은 여자의 심리랍니다."

강형사는 조금도 흥분하지 않고 오히려 입가에 냉소까지 띠며 말했다.

"여자의 마음이 어쨌다고?"

"그렇게 무지막지하게 최병호한테 당했지만, 김명주는 그 사건 이후 오히려 최병호를 잊지 못해 괴로워했대요."

"뭐라구?"

"반장님, 그것이 여자의 심리랍니다."

"……."

"안 될 때는 우선 꺾어라. 그러면 열릴 것이다라는 명언이
있습니다."

"그건 누구 명언이야?"

"제 명언입니다. 헤헤헤……."

"후후후."

추경감도 덩달아 웃었다.

그 뒤 김명주는 이리 집으로 돌아와서 틈만 나면 고향 마을
로 뛰어갔다. 남의 눈을 피해 가며 최병호를 만났던 것이다.

이런 사정을 어렴풋이 눈치챈 명주의 부모는 명주를 서울로
유학을 시켜 버렸다. 싱크로나이즈드 선수라는 것을 핑계로
거금을 들여 서울의 사립 여자 고등학교로 보내 버린 것이다.

명주의 아버지 김쾌진이 이리 공단에서 땅 장사를 해 일확
천금을 벌었을 무렵이었다.

그 뒤 최병호는 김명주 같은 것은 깨끗이 잊어버리고 이리,
전주, 광주를 전전하며 뒷골목 생활을 했다. 그는 타고난 체력
과 담력 덕분에 뒷골목에서는 꽤 이름이 알려진 주먹으로 통
했다. 그러는 사이에 별이 세 개씩이나 붙게 되었다.

최병호가 그렇게 떠돌이 생활을 하는 동안, 김명주는 명주
대로 새로운 인생을 살고 있었다. 그러나 최병호에게 바친 순
결은 내내 잊지를 못했다. 여자는 늙어서 무덤에 갈 때까지 첫
사랑을 잊지 못한다는 말이 있듯이 비록 힘에 의해 정복당한
순결이긴 하지만, 김명주가 최병호를 싫어한 것은 아니었다.
오히려 그런 힘에 의해서라도 최병호한테 한 번 꺾여 보았으
면 하는 마음이 한쪽 구석에 있었는지도 몰랐다.

최병호의 훤칠한 체격이며 선량하게 생긴 얼굴 모습은 전혀

불량스러운 속마음과는 달라 보였다.

김명주는 최병호를 잊지 못해 하며 서울서 학교를 다녔다. 대학을 마칠 때까지 몇 사람의 남자들과 사랑을 나누어 보았으나 결혼을 할 만한 상대는 없다고 생각했다. 그중의 한 남자가 정혁태였다.

김명주는 설악산에서 우연히 표준범 사장과 만나 결혼할 때까지 자유분방한 생활을 계속했었다.

결혼을 하고 난 뒤도 김명주는 최병호를 잊지 못했던 것 같았다. 남편인 표준범에게 부탁해서 마침내 최병호를 집에까지 끌어들였다. 자기 곁에 최병호를 두고 싶던 소원을 이룬 것이다.

남편 표사장은 김명주의 그런 비밀을 모르고 있었는지, 알면서 모른 척했던 것인지 알 수가 없었다.

그뿐 아니라 남편이 있는 몸인 김명주가 최병호와 은밀한 육체의 사랑을 나누고 있었는지도 모르는 일이었다. 이미 두 사람 다 죽고 없으니 확인할 수는 없었다. 그러나 남편 표사장만은 그들의 비밀을 눈치채고 있었을지도 몰랐다.

"그렇다면 표준범이 그들 남녀를 질투해서 둘다 죽여 버렸는지도 모르잖아."

추경감이 한참 생각에 잠겨 있다가 벌떡 일어서며 말했다.

"하지만 김명주의 죽음과 표사장은 관계가 없다는 것이 밝혀졌지 않습니까?"

강형사의 이의였다.

"다만 알리바이가 있다는 것이지 범인이 아니라고 단정할 수는 없어. 그 녀석이 우리가 모르는 기묘한 트릭을 써서 여편네를 죽였을지도 모른다구. 그리고 아내의 첫사랑인 최병호도……."
"첫사랑이라고 할 수도 없죠. 꼭 표현하자면, 좀 문학적으로 표현해서 첫 남자라고 할 수는 있겠습니다만……."
"허허허, 사람 웃기는구먼."
추경감도 따라 웃을 수밖에 없었다.
"그보다 말야, 최병호와 그 집 딸인 성희의 관계가 좀 이상했던 것 아닐까? 초동수사 때 성희가 이상한 말을 했잖아."
추경감이 갑자기 생각난 듯이 말했다.
"봤으면 다리나 주물러 달라고 했을 거라는 것 말입니까?"
"음, 무슨 처녀가 외간 남자한테 다리나 주물러 달라고 한단 말인가?"
"제가 몇 번 목격한 일이 있는데요, 그런 정도는 예삽니다. 요즘 젊은이들은 반장님 세대처럼 남녀 칠세 부동석 같은 고리타분한 신앙이나 믿고 있는 애들이 아닙니다. 거 왜 세대 차이라는 말 있죠?"
강형사가 흥분할 때 하는 버릇인 양팔을 허우적거렸다.
"세대차? 세대차란 자동차 열 대와 일곱 대와의 차이라고 하던걸."
"예? 아니, 반장님도 그런 애들 농담을 다 아십니까? 헤헤헤."
강형사가 허리를 잡고 웃었다.
"외간 남자가 팔다리 정도 주물러 주는 것이 아니라, 사랑도 계획도 없이 육체를 마구 부딪치는 것이 요즘 애들이랍니다. 물론 다 그렇다는 건 아닙니다만……."

"나도 안다네. 오래 전에 본 미국 영화 한 편이 생각나는군. 러브 스토리든가 엔드리스 러브인가 하는 영화였는데……."

"그 영화라면 저도 봤습니다."

"웅, 자네도 리바이벌하는 걸 봤을 테지. 거기 보면 젊은 주인공 남녀의 뜨거운 베드신이 나오지. 사랑 행위를 막 끝낸 뒤 여자가 결혼 같은 걸 생각해 봤냐고 하니까, 남자 녀석이 깜짝 놀라더군. 왜 즐기는데 그런 생각을 하느냐 식이었어. 난 그 영화를 보며 얼마나 충격을 받았는지 몰라. 세대차라면 아마 이런 게 세대차겠지?"

"그때의 남녀 주인공이 오늘날 우리 나라 젊은이 중에도 얼마든지 있습니다."

강형사가 씁쓸한 미소를 지었다.

"그렇다면 최병호와 표성희 사이에는 안마해 주는 관계 이상은 뭐가 없었을까?"

"표성희의 대담하고 당돌한 평소의 행동으로 보아 안마 정도 하고 끝나지는 않았을 겁니다."

"쯧쯧, 어머니의 애인인데……."

추경감이 몹시 불쾌한 듯 얼굴을 찌푸렸다.

"그러나 성희는 새어머니를 어머니로 인정하지 않았습니다. 김명주가 죽은 뒤에도 김명주 아니면 그 여자로 불렀으니까요. 어떤 의미에선 라이벌이라고 생각했을지도 모릅니다."

"어쨌든…… 최병호를 죽였을 가능성이 있는 사람은 첫째 표준범 사장 아니겠어? 그는 자기 아내와 최병호가 밀회를 하고 있다는 것을 뒤늦게 알았을지 모르니까 말이야. 두 번째는 표성희일지도 몰라. 그 다음은 운전사……."

"또 있습니다. 그날 밤 표성희의 보이프렌드인 정혁태가 그 집을 다녀갔습니다. 다녀간 것이 아니라 표성희가 올 때까지 성희의 방에서 기다리고 있었습니다."

"그랬어? 그런데 왜 진작 그 이야기를 안 했지? 표성희가 그 이야기를 숨긴 것 아냐?"

추경감의 눈이 둥그래졌다.

"그렇지는 않은 것 같아요. 왜 초동수사 때 얘기 안 했냐고 물었더니, 언제 그런 걸 물어봤느냐고 따지던걸요."

"그렇다면 용의자가 하나 더 늘어난 셈이군."

"그런데 반장님."

"왜?"

"반장님은 골프 치실 줄 모르시죠?"

강형사가 어색한 웃음을 흘리며 물었다.

"내가? 필드엔 안 나가 봤지만, 인도어라는 데는 몇 번 가서 휘둘러 봤지."

추경감이 일어서서 골프채를 휘두르는 시늉을 해 보였다.

"골프를 칠 줄 모르는 사람이 골프채로 살인을 했다고 할 수 있을까요?"

강형사가 범인은 독 안에 든 쥐가 아니냐는 표정을 지었다.

"골프를 칠 줄 아는 사람이라면 표사장 혼자뿐 아냐."

"성희도 좀 할 줄 압니다."

"그러나 골프를 칠 줄 모른다고 해서 골프채를 못 쓰는 건 아니야. 목수가 아니라도 망치질이나 톱질을 할 수 있잖아."

추경감이 못 박는 시늉을 해 보이며 웃었다.

23
분노로 얼룩진 밤

표성희의 작은 음모는 처음에 성공하는 것 같았다.

부산에 있는 그녀의 생모 오영자 여인이 서울 집으로 찾아
온 것이다.

성희는 혁태와 함께 여러 차례 부산을 오르내리며 마침내
어머니의 거처를 알아냈다.

동사무실을 찾아가서 주민등록표를 추적한 결과였다.

어머니 오영자 여인도 더 이상 딸을 피해 숨어 살겠다는 생
각을 포기한 것 같았다.

서울에 올라온 표성희는 얼마 동안 깊은 생각에 잠긴 듯 잠
잠했다.

그러다 어머니와 아버지가 합쳐서 옛날처럼 다시 살 수도
있겠다는 결론을 내렸다.

그리고는 무작정 아버지가 어머니를 찾으니 빨리 올라오라

는 편지를 써 보냈다.

전화를 걸 수도 있었다. 그러나 어머니가 세들어 사는 방에는 전화가 없었다.

통화하기 위해서 안방 전화를 이용해야 하는 것이 싫었다.

편지를 보내 놓고도 성희는 반신반의하며 기다렸다. 며칠 뒤 어머니가 불쑥 서울집 대문 안으로 들어섰던 것이다.

"엄마아!"

성희는 현관에서 어머니를 만나자 저도 모르게 큰 소리로 외쳤다.

그리고는 더 이상 말이 목에 걸려 나오지 않았다. 어머니의 두 손을 덥석 쥐고 눈물만 글썽거렸다.

"정원의 나무가 제멋대로 자라 말이 아니구나. 사람 불러 나무 손질 좀 하라고 하지……."

어머니는 딸의 눈물 젖은 부름에는 대답도 하지 않고 엉뚱한 말을 했다.

그러나 어머니 오영자 여인의 눈에도 물기가 어려 있었다. 어머니는 그런 자기 모습을 딸한테 보이지 않으려고 엉뚱한 말을 했던 것이다.

거실에 마주 앉은 성희와 어머니는 한동안 아무 말이 없었다.

"아버지는 어디 가셨냐?"

한참 동안 서로 얼굴만 쳐다보며 갖가지 감회에 젖어 있던 모녀 중에 오여인이 먼저 말을 꺼냈다.

"저녁 늦게나 오실 거예요."

"정말 너의 아버지가 날 오라고 하셨니? 난 아무래도 믿기지 않는구나.”

성희는 어머니에게 거짓말을 했다. 새엄마 김명주가 죽고 난 뒤 아버지는 늘 어머니 생각에 젖어 있었다. 그뿐 아니라 자기보고 부산 어머니를 다시 모셔 올 수 없겠느냐고 물었다는 식으로 거짓말을 한 것이다.

그렇게 해서라도 어머니와 아버지를 만나게만 하면 함께 살 수 있을 것 같은 생각을 했기 때문이다.

부산 어머니는 성희의 그 거짓말 편지를 믿고 부랴부랴 서울로 달려온 것이다.

“엄마, 실은…….”

“너의 아버지도 많이 변한 것 같구나. 어쩌면 초장지처 생각이 다 났지?”

오여인은 조강지처를 늘 초장지처라고 말했다.

“엄마, 실은 아버지가…….”

성희는 사실을 털어놓지 않을 수 없었다.

“너의 아버지가 어떻게 됐니?”

“어떻게 된 게 아니고, 아버지는 그 여자 죽은 뒤로 늘 외로워하셨어. 틀림없이 어머니를 보면 반가워하실 거야. 틀림없어. 더구나 저녁에 집에 들어오셨다가 뜻밖에 어머니가 와 계신 것을 보면 반가워하실 거야.”

성희의 말을 듣자, 어머니 오여인의 표정이 갑자기 일그러지며 의아스런 모습으로 바뀌었다.

“성희야, 너 지금 무슨 소리를 하는 거냐? 그럼 아버지가 날 올라오라고 한 것이 아니란 말이야?”

“꼭 그렇게 말한 건 아니지만…….”

성희는 말끝을 흐렸다.

"얘가 지금 무슨 소리를 하는 거야? 그럼 네가 거짓말을 했단 말이야?"

"거짓말이라고 하기보다…… 하여튼 아버지는 엄마가 오신 걸 알면 틀림없이 반가워하실 거야."

"닥쳐!"

오여인은 갑자기 목청껏 큰 소리를 지르고는 벌떡 일어섰다.

"이것아! 그런 거짓말을 함부로 하다니, 너의 아버지가 이 일을 알면 얼마나 어처구니없어 하겠니? 나이 스물도 훨씬 넘은 계집애가 그렇게 소견머리가 좁으냐? 너희 아버지 같은 사람, 나 이제 지긋지긋해. 나 혼자 사니까 얼마나 편한지 모르겠더라. 너희 아버지 들어오시거든 다시 젊은 처녀한테 새 장가 들어서 깨가 쏟아지도록 재미있게 살라고 해라."

오여인은 큼직한 핸드백을 들고 성큼성큼 현관문 쪽으로 걸어나갔다.

"엄마아!"

"듣기 싫다!"

성희가 오여인의 팔소매를 잡았으나, 오여인은 홱 뿌리치고 현관 섬돌을 나서서 마당으로 내려섰다. 마당에서 대문까지는 20여 미터나 백양목 사이로 길이 나 있었다.

뒤도 돌아보지 않고 대문으로 나가던 오여인은 마침 그때 집안에 들어선 표준범 사장과 딱 마주쳤다.

예기치 않은 장소에서 옛날 부부가 몇 년 만에 마주 선 것이다.

두 사람 다 서로의 얼굴을 보는 순간 전기가 꺼져 버린 로봇처럼 꼼짝을 않고 그대로 굳어 버렸다.

표준범 사장의 파렴치하고 교묘한 수단에 넘어가 이혼을 해준 오영자 여인은 가슴에 맺힌 한이 많았지만, 혼자 몇 년을 사는 동안 그런 원한은 거의 삭아 버리고 없었다.

20년 이상을 같이 살면서 미운 정 고운 정 다 든 남편이 다시 자기를 찾는다는, 딸 성희의 거짓말에 속긴 했으나, 언젠가 그런 날이 올 것으로 믿고 살아온 오영자였다.

쫓겨나던 그 집 마당에서 옛 남편을 만난 50 고개의 여인은 온갖 착잡한 생각이 주마등처럼 순식간에 머리를 스쳐 갔다.

"오랜만입니다."

한참 동안 말없이 서 있던 오여인이 먼저 입을 열었다. 정면으로 표사장을 쳐다보지 않으려고 일부러 고개를 숙이고 발끝을 내려다보며 말했다.

"내가 보고 싶어서 엄말 오시라고 했어요. 아빠도 보고 싶었죠?"

성희가 얼른 뛰어내려가 어머니의 팔소매에 매달리며 말했다. 아버지의 표정을 누그러뜨릴 심산으로 잔뜩 애교를 부리며 아버지를 쳐다보았다.

"흥! 잘들 노는군. 이 집 싫다고 버리고 나간 사람이 무슨 뻔뻔스런 얼굴로 다시 찾아와? 성희를 앞세워 슬그머니 이 집에 들어앉으려는 비겁한 수작 하지 말아. 먹고 살 것이 없다면 내 밥 먹을 밑천을 대주지. 그러나 다시는 내 앞이나 성희 앞에 얼씬거리지 말아! 내 말 알아들었어!"

표사장은 벽력 같은 소리를 지르고는 찬바람이 휙 나도록 빠른 걸음으로 집안으로 들어가 버렸다.

오여인은 금세 두 손으로 얼굴을 감싸며 울음을 터뜨렸다. 평소에도 남편이 나무라면 한마디 대꾸도 않고 참다가 몰래 부엌에 가서 울곤 하던 오여인이었다.

이날도 오여인은 터무니없는 억울한 말을 듣고도 한마디 대꾸도 하지 않고 그냥 울면서 걸어나갔다.

"아버지!"

성희가 표사장을 향해 고함을 질렀다. 고함이라기보다 악에 받친 비명 같았다.

"너도 정신 좀 차려. 널 버리고 간 여자를 왜 싸고 도냐!"

표사장이 돌아보지도 않고 말했다.

"아버지는 사람도 아니야. 이럴 수가 있어요? 아버지가 어머니를 쫓아냈지, 언제 어머니가 우릴 버렸어요? 나도 이집 나가 버릴 테니 그렇게 알아요. 혼자서 잘 살아보세요."

성희가 울음 섞인 항변을 쏟아냈다.

"어머니, 우리 나가요."

성희는 어머니의 팔을 붙들고 대문을 나와 버렸다.

"성희야, 이러면 안 된다. 넌 집으로 들어가거라. 아버지의 허가도 없이 날 부른 건 잘못이야. 그런 거짓말을 한 건 잘못이라구. 아버지께 사과드려라. 난 내버려 둬."

"아니에요, 난 엄마하고 같이 살래요."

"쓸데없는 소리 하지 마. 다시는 날 찾지 말아라."

오여인은 이 말을 남기고 길 옆에 서 있던 콜택시에 재빨리 올라타 버렸다. 그 행동이 얼마나 재빠른지 성희가 미처 말릴

틈도 없었다.

콜택시는 곧장 큰길을 향해 쏜살같이 달리기 시작했다.

"엄마아!"

성희가 소리를 치면서 뛰어갔으나, 콜택시 안에 탄 어머니는 뒤도 돌아보지 않았다.

차는 곧 성희의 시야에서 사라졌다.

"엄마아!"

성희는 울부짖으며 한참 동안 정신 없이 뛰어갔다. 숨이 차서 더 이상 뛸 수 없을 때야 길가에 털썩 주저앉았다. 눈물이 걷잡을 수 없이 쏟아져 앞이 보이지 않았다.

얼마 동안 넋 나간 사람처럼 앉아 있던 성희는 겨우 정신을 가다듬고 일어섰다. 비참하고 분한 생각으로 가득했다. 아버지가 죽이고 싶도록 미웠다.

아버지는 사람도 아니라는 생각이 들었다.

'죽어 버릴까보다.'

성희는 언젠가 부산 태종대에서 죽으려고 바다에 뛰어들던 생각이 났다. 지금 심경은 그때보다 더 참담하고 절망적이었다.

기관총 같은 것이 있으면 세상 사람들을 닥치는 대로 쏘아 죽이고 자기도 죽어 버리고 싶은 울분이 치솟았다.

도저히 자기 감정을 이대로는 이길 수 없을 것 같았다.

성희는 지나가는 택시를 무작정 잡아탔다.

"아가씨, 어디로 모실까요?"

성희가 아무 말도 하지 않고 분을 삭이느라 씩씩거리고 있자, 택시 운전사가 목적지를 물었다.

"아무 데나 가요."

"예?"

"술 파는 집에 가요. 카페……. 영동으로 가요."

운전사는 어이가 없다는 듯 성희를 한참 쳐다보다가 영동 쪽으로 차를 몰았다.

맥주홀에 혼자 들어선 성희는 구석진 테이블에 앉아 맥주 두 병을 단숨에 마셨다.

술기운이 오르자 가슴 속에서 부글거리던 울분이 살갗을 뚫 고 얼굴로 나오는 것 같았다.

그리고는 무엇이든 닥치는 대로 집어 던지고 싶은 충동이 일어났다.

마침내 벌떡 일어선 성희는 맥주병 하나를 바닥에 내동댕이 쳤다.

'픽'하는 탁한 소리와 함께 맥주병 파편이 사방으로 튀었 다. 통쾌했다.

성희는 남은 맥주병 하나를 테이블 위에 또다시 동댕이쳤 다. 먼저보다 더 요란한 소리를 내며 유리 파편이 산산조각으 로 흩어졌다. 홀에 앉았던 손님들이 깜짝 놀라 일어섰다. 여자 들은 비명을 지르며 남자의 팔을 붙들고 벌벌 떨었다.

"이년이 미쳤나?"

곧 웨이터들이 달려와서 성희의 양팔을 잡았다.

"이것 놓으란 말야. 이것 놔!"

성희가 양팔을 잡힌 채 악을 썼다.

"내가 누군지 알아? 나를 잘 봐."

성희가 두 웨이터를 번갈아 쳐다보며 주정을 했다.

"네가 누구야?"

한 웨이터가 가소롭다는 듯이 물었다.

"내가 누구냐. 내가 우리 아버지 딸이지. 왜?"

웨이터는 쿡 하고 웃었다.

성희는 비싼 술값을 치르고 그 맥주홀에서 쫓겨났다.

벌써 밖은 어두워졌고, 길 건너편 디스코홀의 네온사인이 인상적으로 반짝이고 있었다.

자기 감정을 이기지 못한 성희는 도저히 그대로 집에 갈 수 없는 심정이었다.

마침 건너편에 성인 디스코홀이 보였다. 성희는 무작정 그리로 들어갔다.

귀가 찢어질 듯한 경음악 소리와 번쩍이는 조명이 성희의 가슴을 조금은 가라앉게 했다.

"이쪽으로 오십시오."

웨이터가 성희를 부축하다시피 이끌고 구석진 테이블로 안내했다.

"혼자 오셨나요?"

"왜? 혼자 오면 안 돼요?"

성희가 대뜸 시비조로 나오자, 웨이터는 빙긋 웃으며 익숙하게 받아넘겼다.

"천만에요. 여기 짝은 얼마든지 있습니다. 늘씬한 미남 한 분 소개해 올릴까요?"

"하하하."

성희는 남자처럼 너털웃음을 웃었다.

"저는 99번 변강쇠라고 합니다. 뭘 주문하실까요?"

"후후후, 변강쇠라고? 뭐 99번? 하나 더해서 백 번 채우지 99번이 뭐야, 치사하게……."

"죄송합니다. 곧 백 번 채울게요. 우선 맥주는 기본으로 올리겠습니다."

웨이터는 성희의 주정을 잘 받아넘기면서도 매상 올리는 일을 게을리하지 않았다.

"이봐요, 변강쇠씨?"

"예, 아가씨, 명령만 하십쇼."

"여기 맥주하고 건달 한 사라 가져와요."

"예? 건달 한 사라라고요? 하하하, 알겠습니다."

변강쇠는 신이 난 듯 펄펄 뛰다시피 자욱한 연기 속으로 사라졌다.

잠시 후 맥주 두 병과 과일 안주가 배달되고 빨간 테이블 등에 불이 켜졌다.

"저어, 춤 한 번 추실까요?"

어디서 왔는지 젊은 남자 두 사람이 성희의 테이블에 와서 앉으며 말했다. 변강쇠 녀석이 귀띔을 한 모양이었다.

"저는 김종배라고 합니다."

머리를 짧게 깎은 녀석이 인사를 했다. 흰 티셔츠를 입고 있었는데, 셔츠 앞가슴에 영어로 '아이 러브 샌프란시스코'라고 씌어 있었다.

코가 뾰족하고 입술이 얇은 데 비해 얼굴은 둥그스름하고 살이 쪄 보였다.

스물두엇 됐을까? 다른 젊은이는 바싹 마르고 작은 체구에 와이셔츠와 넥타이를 얌전히 매고 있었다.

"저는 홍이라고 합니다."

성희는 목례를 해 보이고는 김종배라는 청년에게 술잔을 내밀었다. 맥주를 단숨에 쭉 들이켜고 난 청년은 자연스럽게 성희의 손을 잡아 일으켜세웠다. 그리고는 북적거리는 무도장으로 안내했다.

콩나물 시루처럼 빽빽이 들어찬 사람들 틈을 비집고 두 사람은 무도장 위로 올라섰다. 요즘 한창 인기 있는 그룹 '아하'의 노래들이 메들리로 쏟아져나왔다.

성희는 김종배와 함께 몸을 흔들기 시작했다. 사람이 너무 많아 두 발 들여놓을 만한 공간을 찾아가면서 허리를 흔들어야 했다. 이마에 땀이 송송 배기 시작했다. 청년이 뭐라고 말했으나 밴드 소리 때문에 들리지 않았다.

여러 곡의 경음악이 끝나고 실내가 갑자기 어두워지며 블루스곡이 매끄럽게 흐르기 시작했다. 김종배는 성희의 허리에 손을 감고 익숙한 솜씨로 곡을 타기 시작했다.

"아가씨는 학생?"

김종배가 성희의 귓전에 입술을 바싹 대고 조용히 말했다.

성희는 간지러움을 느끼면서도 싫지는 않았다. 대답 대신 고개만 끄덕였다.

김종배는 성희의 허리를 감은 오른팔에 점점 힘을 넣기 시작했다. 성희의 가슴이 김종배의 가슴에 압박을 가하기 시작했다. 김종배는 얼굴을 숙여 성희의 머릿결 속에 코를 박고 있었다.

김종배는 구석진 곳으로 천천히 성희를 유도한 뒤 목덜미에 진한 키스를 퍼부었다.

성희가 거부하지 않고 가만 있자, 이번에는 입술을 더듬기 시작했다. 술 냄새와 비릿한 냄새가 뒤섞여 풍겼다. 청년의 찝찔한 혀가 성희의 입술을 비집고 들어왔다.

"우리, 밖으로 나갈까?"

한참 동안 성희의 몸 구석구석을 탐색하며 스텝을 옮기던 김종배는 이윽고 은근한 목소리로 속삭였다.

"밖에 어디?"

성희도 짐짓 조용한 목소리로 대답했다.

"따라와."

김종배는 드디어 성공을 했다는 듯 서둘러 사람들을 헤집고 성희를 입구로 데리고 나왔다. 같이 온 동료는 보이지도 않았다. 김종배는 재빨리 술값을 치른 뒤 성희의 어깨를 껴안은 채 디스코홀 계단을 올라왔다.

벌써 밤이 깊었는지 거리에는 행인과 차가 훨씬 줄어 있었다.

"저쪽 주차장에 내 차가 있어."

김종배가 성희의 팔을 잡아당겼다.

"가 보세요. 즐거웠어요."

그러나 성희는 종배의 손을 뿌리치며 반대쪽으로 돌아섰다.

"아니, 이봐요."

김종배가 당황해서 성희 앞을 가로막고 섰다.

"비켜요."

성희가 앙칼지게 말했다. 성희의 목소리나 표정이 찬바람이 날 정도로 매서움을 풍기자, 김종배는 멀거니 성희를 쳐다보고 있다가 슬그머니 물러섰다.

"택시."

성희는 줄 서 있는 택시를 자기 앞으로 불러 타고는 문을 쾅 닫았다.

택시에 오른 성희는 어디로 갈까 잠시 망설이다가 혁태의 하숙집을 생각해냈다. 어쩐지 이런 순간에는 누구에게든지 가서 하소연을 하거나 실컷 울지 않으면 마음이 풀리지 않을 것 같았다.

'불쌍한 우리 어머니.'

성희는 실망한 모습으로 집뜰을 나서던 어머니의 모습을 뇌리에서 지울 수 없었다. 성희는 정혁태의 하숙방에 들어설 때까지도 어머니 생각을 떨쳐낼 수 없었다.

"이 밤중에 웬일이야? 성희, 술 마셨구나……."

자다가 일어난 혁태는 런닝셔츠 바람이었다. 성희의 갑작스런 방문에 당황한 것 같았다.

"우리 아버지, 표준범 사장, 그 사람 나쁜 사람이지."

성희는 엉뚱한 말을 내뱉었다.

"아닌 밤중에 무슨 소리야?"

"표준범씨, 나쁜 사람이지, 그렇지?"

"성희야, 정신 차려, 왜 이러는 거야?"

혁태가 심상찮은 낌새를 깨닫고 성희의 어깨를 감싸안았다. 좁은 하숙방은 두 사람의 포옹이 가득 메운 것 같았다.

"불쌍한 우리 엄마……."

성희는 혁태의 가슴에 안기자 울음을 터뜨렸다.

"성희, 진정해. 앉아, 여기 좀 앉으란 말이야."

혁태는 어쩔 줄을 몰라했다. 성희의 눈물을 손으로 닦아주며 다정히 방바닥에 주저앉혔다.

"무슨 일이 있었어? 차근차근 얘기해 봐."

혁태가 몹시 근심스러운 듯 성희의 얼굴을 들여다보며 말했다.

"지금 어디서 오는 길이야? 아니, 벌써 새벽 두시 아냐? 어디 있다가 온 거야? 말 좀 해봐."

"정형, 나 물 한 그릇만 줘."

성희는 혁태가 플라스틱잔에 따라 준 냉수를 벌컥벌컥 마신 뒤 울음을 뚝 그쳤다.

"정형, 정형도 아버지를 미워해 본 적 있어? 죽이고 싶도록 미워해 본 적이 있느냐 말야?"

"그거야……."

"정형은 어머니를 불쌍하게 생각해 본 일이 있어?"

"그거야……."

"대답 안 해도 돼. 나 이렇게 괴로운 심정 처음이야. 죽고 싶도록 괴로워. 아니, 죽어도 해결될 것 같지 않아. 어떻게 해야 할지 모르겠어. 나 오늘 밤 같은 심정 처음 당해."

"무슨 일이 있었는지 모르지만 너무 괴로워하지 마. 일어나. 내, 집에 데려다 줄게."

혁태가 주섬주섬 바지를 꿰어 입으며 말했다.

"싫어. 정형, 나 집에 들어가지 않기로 했단 말이야. 그까짓 나쁜 사람들이나 사는 집 다시는 가지 않을 거야."

일어서서 옷을 입는 혁태를 성희가 잡아당겨 도로 방바닥에 주저앉혔다.

"정형, 나 좀 어떻게 해줘. 도저히 견딜 수가 없단 말야."

성희는 주저앉은 혁태의 목을 껴안고 입을 맞추며 말했다.

얼떨떨해하던 혁태는 천천히 성희의 등을 껴안았다. 그리고 뜨거운 성희의 키스를 받아들이며 성희의 블라우스 단추를 천천히 풀었다.

혁태의 느린 손놀림을 더 참지 못하겠다는 듯 성희가 자기 블라우스를 후다닥 벗어 버렸다. 곧이어 스커트도 훌훌 벗어 버리고 브레지어도 단숨에 벗어 팽개쳤다.

혁태가 일어서서 스위치를 눌렀다. 형광등이 꺼져 버리자, 방안은 지옥처럼 캄캄했다.

"불 켜요."

성희가 신경질적으로 말했다. 혁태가 다시 일어나 벽의 스위치를 더듬어 켰다. 깜박거리던 형광등이 환히 켜졌다.

성희는 팬티까지 다 벗어 버리고 완전 누드가 된 채 방바닥에 벌렁 드러누워 있었다.

푸른 빛깔이 도는 형광등 아래 성희의 육체는 눈부신 한 폭의 그림이었다.

혁태는 넋을 잃은 듯 그림을 내려다보았다.

"뭘 보고만 있는 거야?"

성희가 자기의 아름다운 모습과는 너무 다르게 신경질적인 목소리로 쏘아붙였다.

24
죽어 마땅한 사나이

정신적인 불균형 상태가 심해진 표성희는 마치 딴 사람처럼 보였다. 조그만 일에도 화를 벌컥 내는가 하면 금방 쾌활한 소녀처럼 바뀌기도 했다.

그러나 대부분의 날을 우울한 표정으로 보냈다.

부산 어머니를 만나러 갔을 때 자살을 기도한 일이 있는 그녀여서, 혁태는 유심히 그녀의 언동을 지켜보지 않을 수 없었다. 그러나 성희는 혁태를 보는 눈마저 시큰둥했다.

우울증에 빠져 세월을 잊고 있던 성희가 마침내 일을 저지르고 말았다.

스스로 시경에 전화를 걸어 강형사를 다방에 불러낸 것이다.

"성희씨가 나를 다 불러내다니, 이게 무슨 영광인지 모르겠습니다."

강형사가 너스레를 떨면서 마주 앉았다. 그러나 성희는 강형사한테 간단한 목례만 보냈을 뿐 몹시 심각한 표정이었다.

"우리, 차부터 한 잔씩 합시다. 어이, 아가씨, 난 커피."

어색한 분위기를 눈치챈 강형사가 분위기를 바꾸려고 애를 썼다.

"그래, 용건은?"

슬금슬금 눈치를 보던 강형사가 마침내 말을 꺼냈다.

"고백할 것이 있어요."

아무 말도 않고 10분 이상 차만 마시고 있던 성희가 말했다.

"고백이라뇨? 하하하, 난 미스 표의 연인도 아닌데 무슨 고백을 나한테 합니까?"

강형사가 홀금홀금 성희의 눈치를 살피며 말을 받았다.

"최병호를 내가 죽였어요."

성희는 결심이라도 한 듯 크고 분명한 목소리로 말했다. 그 목소리가 어찌나 큰지 다방의 다른 사람들이 이쪽을 쳐다볼 정도였다.

"예?"

강형사는 너무 놀라 벌린 입을 다물지 못했다.

"최병호 같은 인간 쓰레기는 이 세상에서 없어져야 해요. 잘 죽였죠?"

성희는 여전히 심각한 표정으로 또박또박 말했다.

"미스 표, 어쩌면 웃지도 않고 농담을 그렇게 잘해요? 하하하."

강형사가 어색한 웃음을 흘리며 성희의 표정을 살폈다. 얼

굴에서 진의를 읽으려고 애쓰는 것 같았다. 형사 특유의 촉각
이 날카롭게 곤두서서 무엇인가를 놓치지 않으려는 표정이었
다.

"이 세상엔 그런 인간 쓰레기들이 많아요. 나 같은 사람이
나서서 그런 쓰레기 청소를 해버려야 세상이 깨끗해지거든
요."

"최병호가 왜 인간 쓰레기입니까?"

강형사가 담배를 피워 물면서 물었다.

"그치가 과거에 뭘을 했는지 정확힌 모르지만 짐작은 가요.
뒷골목에서 선량한 사람들 등치는 노릇이나 했을 거예요.
그때 인연을 맺은 여자가 그 여자 같아요."

"그 여자라뇨?"

"김명주씨 말예요. 최병호를 우리 집에 끌어들인 것이 김명
주였으니까요. 뭐 친정집 동네에 살던 사람이라서 안다고는
했지만, 두 사람 사이에 뭔가가 있었어요. 그 여자는 원래
불결한 여자였으니까 무슨 추잡한 거래가 있었는지 모르지
만, 좌우간 뭔가가 있는 그런 사이예요. 그런 쓰레기를 우리
집에 끌어들일 때는 뭔가 그 여자한테 꿍꿍이속이 있었을
거예요."

강형사는 표성희의 김명주에 대한 무서운 증오를 피부로 느
낄 수 있었다.

"최병호와 김명주는 뭔가 불순한 목적으로 우리 집에서 함
께 살게 된 것 같아요. 우리 아버지만 아무것도 모르고 이
용당한 거죠."

"그런 이야기를 할 만한 확실한 근거가 있습니까?"

강형사도 이번에는 웃지 않고 심각한 얼굴로 물었다.

"확실한 증거만 잡았다면 내가 형사하게요? 어쨌든 내 육감은 정확해요. 그들의 음모가 잘 안 되거나 마음이 맞지 않으니까 최병호가 김명주를 죽여 버린 거예요."

"예? 최병호가 김명주를 죽였단 말입니까?"

강형사의 눈이 둥그래졌다.

"아니, 그러면 강형사는 그것도 짐작 못 했어요?"

"정말입니까? 그걸 어떻게 아셨습니까?"

강형사가 연신 담배를 빨아대며 다그쳐 물었다.

"내 육감은 정확하다고 했잖아요. 증거 같은 건 없어요. 하지만 최병호 같은 쓰레기라면 충분히 그런 짓을 할 수 있어요. 최병호는 틀림없이 김명주한테 우리 아버지와 나를 제거시키고 우리 집 재산을 송두리째 가로채자는 제의를 했을 거예요. 아니, 김명주가 먼저 그런 제의를 했는지도 모르죠. 그러다가 의견이 맞지 않고 비밀이 탄로날까봐 서로 의심하다가 한 사람이 한 사람을 제거시켰을 거예요."

"함부로 그런 추측을 하시면 안 됩니다."

강형사가 조용히 타이르듯 말했다. 표성희가 울분에 치받쳐 아무 말이나 내뱉고 있다고 강형사는 생각했다.

"그런 쓰레기 같은 인간은 없어져야 합니다. 그래서 제가 없애 버린 거예요."

"그래, 구체적으로 얘기를 좀 들어봅시다. 최병호를 어떻게 죽였나요?"

강형사는 표성희의 말을 믿지 않았으나 일단 질문을 던졌다. 어디까지 거짓말을 할 것인지 두고 보자는 심산에서였다.

"그날 밤 나는 2층에 있다가 바람을 쉴 겸 아래층으로 내려왔었죠. 거실 앞을 지나려는데 거실 안에서 여자의 흐느낌 같은 소리가 들렸어요. 그 거실은 아빠가 가끔 들르는 곳이기 때문에 나는 통 들어가 보지 않는 곳이에요. 그냥 지나가려다가 문을 살짝 열어보았죠. 그랬더니 최병호가 양탄자를 깐 거실 바닥에 비스듬히 누워서 텔레비전을 보고 있더군요. 여인의 흐느낌 소리는 텔레비전 연속극에서 나오는 소리였어요. 최병호는 푹신한 소파가 있는데도 그 위에 앉질 않고 바닥의 양탄자 위에 비스듬히 누워 리모콘으로 텔리비전 화면을 바꿔 가면서 보고 있더군요. 주인의 거실에 들어와서 건방진 모습으로 누워 마치 자기 집 안방처럼 거드름을 피우고 있는 꼴이 좋게 보이지가 않았어요. 그 쓰레기는 모든 일을 그런 식으로 처리해요. 남의 집에 빌붙어 살면서 별로 남의 눈치도 보지 않고 제 배짱대로 하는 일이 많아요. 난 그 능글능글하고 게으르고 미련해 빠진 모습이 늘 마음에 들지 않았어요. 그래서 그 쓰레기한테 모욕을 주기 위해 여러 가지 일을 일부러 시킨다구요. 담배 한 갑 사오라는 심부름 따위도 시키고, 내 다리를 주무르라는 주문도 하곤 했지요. 하렘에 있는 페르샤의 왕이 노예를 부리듯 그 쓰레기를 보고 모욕적인 일을 하게 했지요. 이런 생각은 내가 김명주씨를 미워하기 때문에 나온 생각인지도 몰라요."

표성희는 잠시 말을 멈추고 엽차를 마시며 심호흡을 했다.

"그래서요…… 그 거실에 들어가서는……?"

강형사가 말을 재촉했다.

"내가 거실에 들어가도, 그 쓰레기는 누가 왔는지 모르고 그냥 누워서 텔레비전만 열심히 보더군요. 난 일부러 발로 그 쓰레기의 어깨를 툭툭 쳤지요."

성희는 그 대목에서 아주 고소했다는 듯이 잠깐 만족스러운 웃음을 머금었다.

성희는 그 뒷 이야기를 계속했다.

"이봐요, 최씨, 사람이 들어오면 좀 쳐다보기라도 해요. 이게 무슨 매너예요?"

표성희가 조용히 나무랐다. 그제야 최병호는 고개를 들고 침입자를 쳐다보다가 깜짝 놀라며 벌떡 일어나 앉았다.

핫팬티 바람에 소매 없는 얇은 블라우스만 걸친 성희의 몸매는 굴곡이 선명이 드러나 보였다. 허리에 손을 짚고 당당히 버티고 선 성희의 각선미를 발목에서부터 히프까지 눈으로 쓸고 있던 최병호는 침을 삼키면서 인사를 했다.

"아가씨가 여길……?"

"왜요? 최씨는 와도 되고 나는 들어오면 안 되는 곳이에요? 이곳이 최씨 사랑방이에요?"

성희가 가시돋친 말로 쏘아붙이자, 최병호는 몹시 당황했다.

"아, 아닙니다. 그런 뜻이 아니라……."

최병호는 바닥에 앉은 채 계속 고개를 조아렸다.

성희는 거실 문갑에 기대 세워 놓은 골프채를 집어 들었다. 요즘 인도어에 다니며 골프를 배우고 있는 중이라 호기심이 갔다. 아버지는 도대체 얼마나 비싼 채를 샀기에 시간만 나면 이것들을 만지고 노는가를 늘 생각했었다.

채는 퍼터와 아이언 4번 두 개였다. 퍼터는 헤드 부분이 노랗게 반짝이는 것으로 보아 금으로 만든 것 같았다. 성희가 퍼터의 헤드를 얼굴 앞에 바싹 대고 새겨진 글씨를 들여다보았다. '14K'라고 씌어 있었다.

성희는 퍼터를 들고 공을 홀에 밀어넣듯 몇 번 연습을 해보고는 제자리에 가져다 놓았다. 다음엔 아이언 4번 채를 들었다. 샤프트가 바이올렛 색깔이었다. 꽤 비싼 채라는 것을 금방 알 수가 있었다.

성희는 인도어에서 세미프로들이 가르쳐 준 대로 정확히 손잡이를 쥐고 백스윙을 해보았다. 시늉만 하는 데도 허리가 잘 들어가고 쭉 뻗은 각선이 멋있게 따라 주었다. 소매 없는 블라우스 밑으로 듬직한 유방이 출렁거렸다.

최병호는 양탄자 바닥에 멍하니 앉아 성희의 그런 몸매를 넋이 나간 채 보고 있었다.

"뭘 그렇게 쳐다봐요? 음침하게 생겨 가지고."

성희가 끈적한 최병호의 시선을 의식하자 따끔하게 나무라 주었다. 나무라기보다 모욕을 주었다.

성희는 그러고도 속이 풀리지 않았다. 최병호한테 뭔가 가슴에 못질을 하는 그런 모욕을 줘야겠다고 생각했다.

성희는 소파의 팔걸이에 비스듬히 앉아서는 왼쪽 다리를 최병호의 얼굴 앞에 디밀었다. 앉아 있던 최병호는 갑자기 불쑥 내민 성희의 미끈한 다리를 보고 깜짝 놀랐다.

"놀라긴? 다리나 좀 주물러요. 장딴지 근육이 엉겼으니까 살살 좀 풀어요."

완전히 여주인이 남자 노예한테 하는 것과 같은 짓이었다.

그러나 최병호는 그런 모욕을 한두 번 겪은 게 아니었기 때문에 태연히 앉은 채 성희의 발목부터 주무르기 시작했다.

"좀더 빨리 해요. 오늘 저녁 굶었어요?"

성희는 일부러 최병호가 모욕감을 느끼게 하기 위해 다리를 신경질적으로 흔들면서 말했다.

그래도 최병호는 손목에 힘만 줄 뿐 주인 처녀의 다리를 더 빨리 만질 수 없다는 듯 주저주저했다.

성희는 아이언 4번 골프채를 손에 든 채 헤드를 만지작거리며 다리의 마사지 감촉을 느긋이 느끼고 있었다.

"좀더 위로, 좀더 위로 손을 올려요. 아이, 시원해."

최병호의 양손이 성희의 발목에서부터 시작하여 단단한 장딴지와 동그스름하고 탐스러운 무르팍을 거쳐 허벅지에까지 이르렀다. 짧디짧은 핫팬티 밑으로 다갈색의 윤기나는 허벅지가 최병호의 눈을 압도했다.

최병호는 보지 않으려는 듯 얼굴을 바닥 쪽으로 돌리고 보드라운 성희의 허벅지를 조심스럽게 주물렀다. 손이 부들부들 떨리기까지 했다.

"더 위로 좀……."

성희가 안타까운 듯 천장을 쳐다보며 말했다. 자기 발치에 꿇어앉아 시키는 대로 하고 있는 남자의 태도에서 더없는 쾌감을 느꼈다. 승리감 같은 만족감도 느꼈다. 아버지와 김명주에 의해 쫓겨난 불쌍한 어머니 오영자의 복수를 해주고 있다는 터무니없는 생각까지 들었다.

그때였다. 갑자기 부들부들 떨리던 최병호의 손이 핫팬티 가랑이를 뚫고 은밀한 곳으로 불쑥 들어왔다.

"어마앗!"

천장을 쳐다보며 짜릿한 복수감을 느끼고 있던 성희는 이 노예의 반란에 기겁을 했다.

벼락 같은 소리를 지르며 벌떡 일어선 성희는 최병호를 내려다보았다.

"미, 미안해요. 그냥……."

최병호는 얼굴이 상기된 채 더듬더듬 사과를 했다. 그러나 표정은 사과하는 사람의 표정이 아니라 한심한 여자를 쳐다보는 비웃음 같았다. 입가에 보일 듯 말 듯한 웃음을 흘렸다.

성희는 그런 최병호의 모습을 보자 머리에서 불꽃 화약이 폭발하는 것 같은 분노를 느꼈다.

'죽여야 돼. 저런 능글능글한 사나이는 죽여야 한단 말야.'

성희는 속으로 이렇게 다짐하며 들고 있던 아이언 4번 채를 힘껏 휘둘렀다. 최병호의 머리가 마치 골프공처럼 보였다.

픽!

둔탁한 소리가 나며 최병호는 바닥에 엎어졌다. 표성희는 서 있고 최병호는 앉아 있는 자세였기 때문에 아이언샷은 정확하게 최병호의 뒷머리를 후려칠 수가 있었다.

1초도 안 걸리는 찰나에 일어난 엄청난 비극이었다.

성희는 태연하게 거실을 나와서 2층으로 올라갔다. 그리고 팔깍지를 낀 채 새우잠이 들어 있는 정혁태를 깨웠다.

강형사는 표성희의 이 살인 고백을 믿을 수도 안 믿을 수도 없다고 생각했다. 상황 설명이 워낙 장황해서 거짓말을 그렇게 꾸며댄다고 볼 수 없었다. 더구나 무엇 때문에 자기가 그런 엄청난 자백을 거짓말로 한단 말인가?

　그러나 다른 한편으로는 사실이라고 믿기가 어려웠다. 우선 최병호를 죽인 동기가 납득이 가지 않았다. 물론 여자의 세밀한 심리란 우발적으로 그런 짓을 할 수도 있다는 생각이 들기는 했다. 그러나 그까짓 이유 때문에 사람을 죽인다는 것이 얼른 수긍되지 않았다.

　"자, 이제 절 잡아가세요. 더 질문할 게 있나요?"

　성희는 강형사 앞으로 두 손을 내밀면서 말했다. 수갑을 채워 달라는 몸짓이었다.

　"우선 경찰국까지 가서 우리 다시 이야기합시다."

　강형사가 부스스 일어섰다. 강형사가 얼른 찻값을 내고 자기 차에 성희를 태워 가지고 사무실로 돌아왔다.

　강형사는 성희를 취조실에서 기다리게 하고 추경감한테 달려가 자초지종을 이야기했다.

　강형사의 이야기를 다 듣고 난 추경감은 씁쓸한 표정을 지었다. 벌레 씹은 듯한 얼굴로 입을 열었다.

　"지금 표성희는 어디 있나?"

　"옆방에 있습니다."

　"아버지한테 연락해 보았나?"

　"아뇨."

　"내가 표성희를 만나볼 테니 아버지 표준범 사장을 좀 오라고 하게."

　추경감은 취조실로 들어갔다. 창문이 없는 을씨년스러운 방에 오도카니 앉아 있는 표성희의 얼굴에는 불안한 그림자가 드리워져 있었다.

　"미스 표, 오랜만이야."

추경감이 부드러운 얼굴로 말을 걸었다.

표성희는 처음 추경감을 못 알아보는 것 같았으나 곧 아는 체를 하면서 입가에 미소를 띠었다.

"……."

"담배 피우겠어?"

추경감이 담뱃갑을 내밀었다. 그러나 성희는 고개를 가로 저었다.

창백한 얼굴, 얌전한 모습 등이 전에 본 표성희와는 전혀 다르게 느껴졌다.

"최병호를 미스 표가 죽였다고?"

표성희는 추경감의 이 질문을 받고 한참 동안 추경감을 쳐다보고 있다가 조용히 고개를 끄덕였다.

"엽차 한 잔만 주세요."

고개를 끄덕이던 성희가 낭랑한 목소리로 말했다.

추경감은 밖으로 나와 자판기에서 종이 찻잔에 인삼차 두 잔을 받아 가지고 취조실로 들어갔다.

두어 시간 동안 이것저것을 물어보았다. 표성희가 거짓말을 하고 있다고 단정할 수는 없으나, 살인을 한 여자는 아닌 것 같다는 생각이 굳어졌다.

그러면 무엇 때문에 표성희는 자기가 최병호를 죽였다고 자백한 것일까?

정신적인 불안 상태 때문일 수도 있다고 추경감은 생각했다. 그러나 정신병자가 아닌 다음에야 노리는 목적이 있을 것이란 생각이 들었다.

추경감이 표성희를 남겨두고 취조실에서 나오자, 표준범 사장이 와 있었다.

"성희가 어디 있습니까? 그년이 미쳐도 분수가 있지. 성희 좀 데리고 오십시오."

추경감을 보자 표사장이 벌떡 일어서면서 큰 소리로 떠들었다.

"저하고 얘기 좀 합시다."

추경감이 펄펄 뛰는 표사장을 의자에 주저앉히며 조용히 말했다.

"요즘 성희한테서 뭐 이상한 태도 같은 건 발견하지 못했습니까?"

추경감이 물었다.

"이상한 태도라뇨?"

"불안해 한다든가, 특별히 우울해 한다든가……."

"걔가 우울해 해요? 하하하, 천하의 말괄량이 성희가요? 하하하."

표사장은 갑자기 너털웃음을 터뜨렸다.

"이것 봐요!"

표사장이 갑자기 정색을 하고 말했다.

"우리 성희를 당장 내놔요. 걔가 살인을 했느니 어쩌느니 하고 올가미를 씌우려고 하는 모양인데, 이 표준범이 그렇게 호락호락한 사람이 아닙니다. 공연히 큰코 다치지 말고 우리 성희 내놔요. 걔는 살인은커녕 모기 한 마리도 죽일 줄 모르는 애예요. 만약에 순순히 성희를 내놓지 않으면 나도 가만 있지 않을 거요. 추경감 당신도 처자가 있는 사람이지요? 공연히 밥통 떨어지기 전에 알아서 해요. 이 표준범 뒤에도 사람 있습니다."

"죄가 없으면 나가게 될 테니 염려 마십시오. 하지만 지금
은 일단 살인 용의자니까 조사를 더 해봐야 알겠습니다. 아
무 혐의가 없으면 곧 돌려보낼 테니, 아버님께서도 좀 협력
해 주십시오."

추경감은 지극히 사무적으로 이야기했다.

"조사를 더 할 게 뭐가 있다는 겁니까? 아니, 그럼 당신들
은 걔가 정말 최병호를 죽였다고 생각하는군요. 이거 안 되
겠군. 내, 시경국장한테 이야기를 좀 해야겠어."

표사장이 다시 얼굴이 상기되어 벌떡 일어섰다.

"좀 참으십시오. 국장님은 지금 바쁘니까 저희들하고 이야
기해도 충분합니다."

"내가 시경국장하고 골프치러 다닌다는 것 당신들도 알
죠?"

추경감이 간곡히 말리자, 표사장은 시큰둥하게 의자에 앉았
다.

"우선 성희양을 좀 만나 주십시오. 왜 그런 자백을 했는지
아버님께서 물어보시는 것이 좋을 것 같습니다."

추경감이 담배를 권하며 말했다.

"좋아요, 성희를 데리고 오시오."

"옆방에 있으니 같이 가시죠."

추경감이 표준범을 데리고 취조실로 들어갔다.

"성희야!"

표사장이 반가워서 물기 젖은 목소리로 딸을 불렀다.

"성희야, 이게 무슨 일이냐?"

표사장은 밖에서 큰소리칠 때와는 달리 취조실에 동그마니 앉아 있는 딸을 보자 측은한 생각이 든 것 같았다. 몹시 걱정스런 얼굴로 성희의 얼굴을 들여다보았다.

그러나 성희는 아버지를 힐끗 보고는 천천히 고개를 딴 곳으로 돌려 버렸다. 쌀쌀한 표정이 역력했다.

"성희야."

표사장이 덥석 성희의 손을 잡았다. 그러나 성희는 아무 대꾸도 하지 않고 억센 아버지의 손아귀에서 살그머니 손을 빼냈다.

"성희야, 너 무엇 때문에 그런 거짓말을 하는 거니? 거짓말이라고 이야기하고 집으로 가자. 난 네가 거짓말한다는 것 다 알아. 여기 경찰관들이 거짓말하도록 꼬셨다는 것도 다 안다. 속지 말고 거짓말이라고 이야기해. 넌 최병호를 죽이지 않았어."

"제가 최병호를 죽였어요. 그까짓 인간 쓰레기는 없애야 해요."

표성희가 앙칼지게 말했다.

"뭐라고?"

"그 여자하고 아버지 심복 노릇 하던 최병호가 옛날부터 미웠어요. 우리 어머니 쫓아내고 지가 뭔데 대신 집안 살림을 한단 말예요?"

표성희가 아버지를 향해 쏘아붙였다.

25

나체 일광욕

표성희와 표사장을 일단 집으로 돌려보낸 추경감과 강형사
는 씁쓸한 기분이었다.

"무엇 때문에 표성희는 자기가 범인이라 자처하고 나섰을
까요?"

강형사는 도저히 이해할 수 없다는 듯이 말했다.

"그야 진짜 표성희가 범인일지도 모르는 일 아닌가? 표성희
라고 해서 살인하지 말라는 법은 없지 않아?"

추경감은 담배연기를 훅 뿜으면서 말했다.

"옛? 반장님, 그건 말도 안 됩니다. 표성희는 절대로 범인이
아닙니다. 사람이 미치지 않은 이상 내가 사람을 죽였소 하
고 다니는 사람이 어딨습니까? 표성희가 스스로 범인이라
고 거짓말을 하는 데는 그만한 이유가 있을 겁니다."

"그 이유가 뭣인가?"

"글쎄 말입니다. 그 이유를 모르겠단 말입니다."

"그러니까 표성희가 진짜 범인일 수도 있는 것 아니냐, 그거지."

"전 절대로 그렇게 생각하지 않습니다."

"자네가 생각치 않는다고 범인이 안 되는 건 아니라네."

추경감은 입가에 미소를 머금으며 어린아이 달래듯이 말했다.

"자네의 그 센티멘털리즘은 충분히 이해가 되네. 나도 표성희가 범인일 것이란 생각은 하지 않아. 그러나 범인이 아니란 증거를 찾아내야 해. 표성희 자신이 범인이라고 말하는 이유를 찾아내면 되는 일 아닌가."

두 사람은 말없이 한동안 서로를 쳐다보고 있었다.

그 다음날 강형사는 다시 표성희를 만나러 표사장의 집으로 갔다. 아무래도 표성희가 무엇인가를 알고 있는 것 같을 뿐 아니라, 왜 자기가 범인이라고 자처하는지 그 이유를 캐내고 싶었기 때문이었다.

강형사가 대문 앞의 초인종을 누르자 한참 후에야 목소리만 들려왔다.

"누구시죠?"

중년 여자의 목소리였다. 강형사는 순간 어리둥절하여 대문께를 이리저리 훑어보았다. 그러자 다시 목소리가 들려왔다.

"강형사님이시군요. 무슨 일로 또 오셨나요?"

그 목소리는 대문에 붙은 조그만 스피커에서 들렸다. 감시 텔레비전으로 강형사의 모습을 지켜보면서 하는 목소리였다.

목소리의 주인공이 이 집 가정부라는 것을 한참 뒤에야 알

240

왔다.

"미스 표, 집에 있나요?"

강형사는 감시 텔레비전 카메라를 쳐다보면서 웃어 보였다.

"예, 계세요. 들어오셔서 풀장 쪽으로 가보세요."

이어 소리없이 대문이 열렸다. 강형사가 들어서자, 대문은 다시 소리없이 닫혔다.

강형사는 낯익은 집뜰로 들어섰다. 잘 가꾸어진 정원수들이 어느새 누릇누릇하게 단풍이 져 갔다.

강형사는 오른쪽 집 모퉁이를 돌아 천천히 풀장 쪽으로 갔다.

깔깔거리며 티없이 맑게 웃는 성희의 목소리가 들려왔다.

성희는 풀장 앞 풀밭에서 희한한 모습으로 일광욕을 즐기고 있는 중이었다.

풀밭 위에 쳐진 매트리스 비슷한 얇은 천 위에 엎드려 있는 성희는 벌거벗은 것과 마찬가지의 모습이었다. 비키니 수영복의 아랫도리만 입고 있었을 뿐 허리 위는 노브라 차림이었다.

파란 하늘색 바탕에 흰 줄무늬가 있는 비키니 삼각 팬티 외에는 실오라기 하나 걸치지 않은 채 엎드려서 일광욕을 즐기고 있었다.

초가을의 엷어진 햇볕이 맑고 윤기나는 성희의 목덜미며 잔등, 종아리를 천천히 어루만지는 것 같았다. 그 곁에는 낯선 얼굴의 남자가 역시 수영복 팬티 차림으로 비스듬히 누워 성희의 육체를 눈으로 더듬고 있었다.

성희는 그 청년과 이야기를 나누며 깔깔거리는 중이었다.

강형사는 그 모습이 너무 민망스러워 멈칫 그 자리에 섰다.

강형사의 눈에 들어온 그 풍경은 북유럽 해변의 노브라 일광욕 같은 풍경이었다. 우리 나라의 일반 가정집 풍경이라고는 도저히 믿을 수 없을 정도였다.

엎드려서 고개만 돌려 수영복의 청년을 바라보고 있는 표성희의 모습은 무척 육감적이었다.

겨드랑이 밑으로 잘 익어 팽글팽글한 오렌지 같은 유방이 짓눌린 채 약간 보였다.

완만하고 부드럽게 흘러내린 어깨의 곡선과 푹 패인 허리선이 잘 어울렸다.

수영복 팬티가 터질 듯이 부푼 히프와 그 밑으로 겁 없이 쭉 뻗은 두 다리의 각선미도 멋있었다.

흔히 동양 여자들에게서 볼 수 있는 짧은 다리의 옹색한 하체 모습이 아니라 길고 시원스럽게 빠진 백인 모델의 육체를 보는 듯한 멋진 몸매였다.

곁에서 성희의 그런 모습을 혼자 마음껏 즐기고 있는 청년도 다부진 상체며 구릿빛 피부 등이 운동으로 잘 단련된 몸매라고 강형사는 생각했다.

청년 가슴의 무성한 검은 털은 그의 남성다운 모습을 한층 더 돋보이게 했다.

"이봐 경철이, 정말 걔를 바람 맞혔단 말야?"

깔깔거리며 웃던 성희가 큰 소리로 말하며 사나이 쪽으로 돌아누웠다.

강형사는 눈이 아찔했다. 성희가 돌아눕는 바람에 커다란 두 개의 유방이 출렁거리며 햇볕에 드러났다. 희고 고운 탄력 넘치는 두 유방 가운데의 핑크빛 작은 꼭지 두 개가 사정없이 강형사의 눈을 찔렀기 때문이었다.

눈부시게 건강한 표성희의 가슴이었다.

"후후후, 지금쯤 약이 올라 내가 전해 준 쪽지를 박박 찢고 있을 거야. 후후후……."

경철이라는 청년도 성희의 젖가슴에서 눈을 떼지 않으며 웃어댔다.

그들 뒤에는 김명주가 익사체로 발견되었던 커다란 수영장이 보였다. 파란 물이 가득 차서 넘칠 것 같았다.

"저어, 실례합니다. 어흠."

강형사는 몹시 겸연쩍어하면서 인기척을 냈다.

강형사를 보자 표성희는 얼굴이 굳어지면서 두 손으로 슬그머니 젖가슴을 감싸쥐었다.

"당신 뭐하는 사람이야?"

경철이라는 청년이 강형사를 노려보면서 소리쳤다.

"이거 실례합니다…… 표성희씨한테 볼 일이 좀 있습니다만……."

강형사는 여전히 겸연쩍어하면서 더듬더듬 말했다.

"글쎄 뭐하는 사람이냐고 내가 묻지 않아요?"

경철은 벌떡 일어서며 강형사 앞을 막아 섰다.

"경철형, 그만둬요. 날 잡으러 쫓아다니는 형사야. 강형사님, 안녕하세요."

성희가 곁에 있던 비치 가운을 걸치며 말했다. 경철은 성희와 강형사를 번갈아 쳐다보다가 슬그머니 뒤로 물러섰다.

"경철형, 이따가 봐. 내 나중에 전화할게."

표성희가 말하자, 경철은 주섬주섬 벗어둔 옷을 들고 대문

쪽으로 나가며 말했다.

"성희, 그럼 이따가 봐. 집에 내내 있을 테니까……."

경철이 사라지자, 성희는 풀장 옆 물기 젖은 벤치에 올라앉았다.

"좀 앉으세요."

성희가 맞은편에 있는 벤치를 가리키며 강형사에게 권했다. 강형사는 벤치에 앉으며 커다란 달리아꽃이 그려진 성희의 비치 가운을 바라보았다. 스카이블루의 청명한 푸른색 바탕에 큼직한 달리아 꽃무늬가 잘 어울렸다. 성희의 날씬한 몸매며 흰 얼굴의 아름다움과 잘 어울리는 옷이었다.

"오늘은 또 무슨 일이에요? 내가 범인이 아닌 것으로 결론 내신 것 아녜요? 그것을 번복이라도 시킬 생각이신가요?"

성희는 여전히 빈정대는 말투였다.

"몇 가지 더 물어볼 것이 있어서 왔습니다."

강형사는 담배를 꺼내 물었다. 평소 그는 담배를 잘 피우지 않았으나 어쩐지 손 둘 곳이 마땅치 않아 담배 한 개비를 꺼내 물고 라이터를 켰다.

"몇 가지 물어볼 것이 있어서 왔는데……."

"어제 다 물어보지 않았어요? 사람의 말을 믿지 않으면서 더 물어서 뭘 해요?"

"믿지 않는 것은 아닙니다. 다만……."

"다만 뭡니까?"

"증거가 없기 때문입니다. 미스 표가 최병호를 살해했다는 정황 설명은 수긍이 가지만 그럴 만한 동기나 증거가 없잖습니까?"

"참으로 웃기는 일이군요. 이건 완전히 거꾸로 된 것 아네
요? 범인은 자기가 죄를 지었다고 우기고, 형사는 당신이
죄짓지 않았다고 우기고……. 하하하, 이것 정말 웃기는 일
아네요? 하하하……."

성희는 두 팔로 벤치를 짚은 채 얼굴을 뒤로 젖혀 하늘을
쳐다보며 큰 소리로 웃었다.

"그래, 더 물어볼 것이 무엇이에요?"

성희가 한참 웃고 나서 말했다.

"우선 미스 표가 그 골프채를 만지작거렸다면, 골프채에 성
희씨의 지문이 남아 있어야 합니다. 골프채의 손잡이는 인
조 고무로 되어 있는데, 거기서는 지문을 채취하기 어렵다
고 칩시다. 그렇다면 성희씨가 골프채의 샤프트라는 대와
헤드라는 끝부분의 도금 잘된 쇳덩어리를 만졌을 텐데, 거
기서도 지문을 채취할 수가 없었단 말입니다. 성희씨는 최
병호가 다리를 주무르고 있을 때 골프채를 만지작거리고 있
었다고 분명히 말했거든요……."

"물론이지요. 아이언 4번의 샤프트랑 헤드를 내가 만지고
놀았죠."

"그런데 지문이 하나도 발견 안 된 이유가 뭡니까?"

"호호호. 형사 나리님, 그것도 말씀이라고 하세요? 어느 멍
청한 범인이 범행한 뒤 증거물을 남깁니까? 더구나 결정적
인 단서인 지문 같은 것을 말입니다. 나는 장갑 같은 걸 사
용하지도 않았어요. 최병호의 머리를 때린 뒤 수건으로 골
프채를 깨끗이 닦아 버렸답니다. 지문 같은 걸 남기지 않기
위해 손잡이에서부터 헤드까지 깨끗이 닦아서 두고 나왔다

그거죠. 형사 나리님, 이제 아셨어요? 왜 흉기에 지문이 남
아 있지 않은지 말입니다.”
성희는 웃음을 머금고 말했다.
“그런데 그게 이상하단 말입니다.”
“또 뭐가 이상합니까?”
“지금 한 말은 사실이겠죠?”
강형사도 미소를 띠며 말했다.
“내가 언제는 거짓말했나요?”
“지금 한 말이 사실이라면 너무나 이상한 일이라서…….”
“내가 지문을 지워 버렸으니 지문이 없는 건데, 뭐가 이상
합니까?”
“성희씨가 골프채를 말끔히 닦아 버렸다면 거기서는 성희
씨의 지문만 지워지는 게 아니라, 그것을 만졌던 모든 사람
의 지문이 다 지워져야 하거든요. 그런데 그 골프채에는 최
병호의 지문, 운전사 박씨의 지문, 표준범 사장의 지문, 가
정부 아줌마의 지문까지 채취가 되었거든요. 성희씬 자기
지문만 골라서 지웠나요?”
“그…… 그거야…….”
성희는 말이 막혀 당황했다.
“왜 자꾸 거짓말을 하는 겁니까? 왜 최병호를 죽였다고 거
짓말을 하는 거지요?”
표성희는 강형사를 바라보며 아무 말도 하지 않고 한참 동
안 그대로 앉아 있었다. 마치 갑자기 조각품이라도 된 듯한 표
정이었다.
얼마 동안을 그렇게 앉아 있던 성희가 갑자기 얼굴을 감싸

며 울음을 터뜨렸다. 어깨를 들썩이며 흐느껴 울기 시작했다.

"아니, 저어…… 미스 표, 저……."

강형사는 이런 경험을 한 일이 없어 어쩔 줄을 몰라했다.

한참 흐느껴 울던 성희는 얼굴을 두 손으로 감싼 채 고함치듯이 말했다.

"다른 사람들은 몰라요. 난 죽고 싶을 뿐이라구요. 어머니, 아버지가 다 불쌍해요. 내가 죽으면 맘이 돌아설 것 아녜요?"

26
아내 카레라이스

표준범 사장과 장마담 기문숙은 용인에 있는 표사장의 농장
으로 갔다.

농장이라고 말하기는 좀 왜소한 곳이었다. 그냥 옛날 집을
사서 손질해 놓은 정도였다. 2백 년 전 참판 벼슬을 하던 윗대
할아버지가 지은 집을 고가로 사들여 새 집처럼 단장을 해둔
것이었다. 옛날 집이지만 문짝이며 기둥이며 대들보 등이 신
기할 정도로 말짱했다.

2백 년이나 묵은 때를 벗겨내고 없어진 부분은 대목을 불러
다 복구시켰다. 고가는 새로 지은 한옥처럼 멋이 넘쳤다.

무식한 표사장이 이렇게 돈을 들인 것은, 문화재에 대한 애
착이 있어서도 아니고, 고가를 감상할 만한 안목이 있어서도
아니었다. 다만 그 집에 딸린 안마당, 사랑채, 행랑채, 바깥 마
당 등 땅을 살 때 거기에 딸려온 부속물이었다.

248

　대지가 3천 평이 넘어 대가치고는 어머어마한 대가였다. 표
사장은 그곳으로 고속도로가 난다는 정보를 가지고 있었기 때
문에 장삿속으로 그 집을 사두었던 것이다.
　그 뒤에 그 집은 지방 문화재로 지정되었다. 그 바람에 뜯어
버리고 여관이나 음식점으로 개조할 수 없게 되어 손해를 보
았다.
　잔뜩 화를 내던 표사장은 기문숙의 아이디어를 받아들여 그
집을 옛날 모습대로 복원하고 내부에 현대 시설을 갖춘 별장
으로 쓰기로 했다.
　행랑채에 그곳 토박이 늙은 부부를 그냥 살게 하고 그 집에
딸린 과수원이며 남새밭은 그대로 부치게 해두었다.
　기문숙은 그 집의 그윽한 분위기를 즐기려고 가끔 혼자서도
들렀다.
　주말뿐 아니라 주중에도 표사장은 기문숙을 데리고 그곳에
들러 색다른 육체의 향연을 벌였다.
　이날도 서로의 육체를 필요로 했을 뿐 아니라 오래 전부터
추진해 오던 일을 의논하기 위해 두 사람은 함께 별장으로 갔
다. 차는 기문숙이 직접 운전하는 그랜저였다.
　"우리 할아버지들은 머리가 나쁘단 말야. 방 한 칸이라는
것이 이렇게 좁아서야 어디 왈츠 같은 춤을 출 수가 있어?"
　표사장이 욕실에서 나와 젖은 머리를 수건으로 털면서 말했
다.
　양쪽 어깨와 허리에 군살이 붙어 약간 둔하게 보이기는 했
지만, 팬티만 입은 그의 몸매는 젊은이 못지않았다.
　"옛날에는 왈츠나 탱고 같은 게 없었으니까 그렇죠. 이만한

방이면 홑이불 한 채 펴고 신랑 신부가 무슨 지랄을 해도 충분한 것 아녜요?"

기문숙이 두 팔을 벌려 방안을 한 바퀴 돌면서 말했다.

실내복이 매미 날개처럼 엷어 속살이 훤히 보이는 그런 모습이었다. 얼굴 표정은 곧 즐거운 일이 닥칠 것이라는 기대감과 긴장으로 가득 차 있었다.

"여기 온 것이 몇 주 만이에요? 자기, 혹시 딴 여자 생긴 것 아니에요?"

기문숙이 아직 물기가 가시지 않은 표사장을 껴안았다.

"생겼을지도 모르지. 장마담이 나를 피하는 것 같아, 요즘."

표사장은 한 손으로 기문숙의 목덜미를 잡고 얼굴을 더욱 뚫어지게 내려다보면서 속삭였다.

"내가 자기를 피한다고? 웃기지 말아요. 내가 남자 피할 사람이에요? 더구나……."

그때 표사장이 기문숙의 입술을 자기 입술로 덮었기 때문에 더 말을 잇지 못했다.

표사장은 왼손으로 기문숙의 뒤통수를 감싸쥐고 자기 얼굴로 바싹 잡아당기며 길고 깊은 키스를 퍼부었다. 그 동안에 그의 오른손은 매미 날개 같은 가운을 헤집고 탄탄한 젖무덤을 움켜쥐었다.

얼마나 오랫동안 그런 자세를 하고 있었는지 기문숙이 주먹으로 표사장의 어깨를 통통 두드렸다. 숨막혀 죽겠으니 이제 좀 풀어달라는 신호였다. 그러나 표사장은 들은 척도 않고 이번엔 오른팔로 기문숙의 허리를 부러질 듯이 잡아당겼다.

기문숙도 두 주먹을 다 동원하여 표사장의 양쪽 팔을 통통 두들겼다. 얼굴을 옆으로 가로 저으려고 애를 쓰면서 몸을 비틀었다.

정말 숨이 막혀서인지 남자의 달콤한 키스를 받아들이며 즐거워서 그러는 것인지 알 수 없을 정도였다.

표사장은 숨막혀 하는 기문숙의 사정은 아랑곳도 하지 않고 기문숙을 번쩍 들고 밖으로 나갔다. 그리고 대청 마루에 기문숙을 가볍게 내려놓았다.

희고 정갈한 창호지를 바른 문이 얌전히 닫혀 있고, 문살이 엷은 햇살을 받아 아름다운 무늬를 그리고 있는 아늑한 분위기였다. 대청 바닥에는 촉감이 상쾌한 돗자리가 깔려 있었다. 세모시 적삼 차림의 목이 긴 여인, 앞머리에 단정하게 가리마를 타고, 초승달 눈썹이 예쁘다 못해 애처로운, 그런 여인이 부채를 들고 얌전히 앉아 있다면 썩 어울릴 대청이었다.

어쨌든 이런 분위기는 아랑곳없이 혈압이 부풀어오른 표사장이 숨을 거칠게 쉬며 기문숙의 가운을 우악스럽게 벗겼다.

"좀 천천히 행동하세요. 자기, 오늘은 왜 이렇게 서둘러?"

기문숙은 거친 표사장의 손이 가운을 벗겨내는 일을 도와주면서 달콤한 음성으로 말했다.

표사장은 마치 성난 사람처럼 아무 말도 하지 않고 옷 벗기는 일만 열심히 했다. 그 바람에 표사장이 앞가리개로 하고 있던 타월도 어디론지 도망가 버리고 맨몸뚱이가 그대로 드러났다. 대낮에 벌거숭이가 되어 씩씩거리는 표사장의 모습이 우스웠던지 기문숙이 입을 가리고 쿡쿡 웃었다.

그러나 벌거벗은 모양이 되기는 기문숙도 마찬가지였다. 가운을 벗겨내자 부드러운 속살이 그대로 드러났다. 얼굴이 나이보다는 조금 늙어 보인다고들 하지만, 그녀의 속살은 10대 소녀처럼 생기 넘치고 고왔다.

기문숙은 성미 급한 표사장을 차분하게 받아들이며 다시 조용히 말했다.

"자기, 그 일 어떻게 돼 가고 있지?"

마치 기문숙은 심술장이 골목대장을 달래듯 부드러운 목소리로 조심스럽게 물었다.

"그 일이라니?"

"이리 일 말이야?"

"아, 그것……."

표사장은 대답 대신 기문숙의 입을 다시 자기 입술로 막아 버렸다. 그리고는 격렬한 몸짓으로 모든 것을 삼겨 버리려는 듯이 서둘렀다.

"이봐요."

기문숙이 고개를 저어 표사장의 짓누르는 얼굴에서 벗어났다. 이번엔 좀 톤이 높게 말했다.

"어물쩡하지 말고 사실대로 말해요. 요즘 자기, 이상한 것이 한둘이 아니에요. 그 일이 끝나야 결혼한다고 늘 말했지 않아요?"

그 이야기를 듣자 표준범은 갑자기 움직이던 몸짓을 뚝 그치고 석고상처럼 꼼짝도 하지 않았다.

"왜 이래요?"

기문숙은 당황했다. 여러 남자하고 잠자리를 같이 해보았지만, 일을 시작해 놓고 중간에 이렇게 뚝 그치는 남자는 처음 보았기 때문이다.

252

"결혼과 그 문제는 별개야. 내 분명히 말하지만, 장마담하고 결혼한다고 약속한 일은 없어."

"예?"

기문숙이 잠시 눈을 크게 뜬 채 표사장을 올려다보고 있다가 갑자기 작동이 걸린 전기 파워 인형처럼 벌떡 일어났다.

기문숙은 두 손으로 표사장의 가슴을 떼밀어내며 말했다.

"당신 같은 멋대가리 없는 남자는 처음 봤어. 그래, 이 순간에 꼭 그렇게 말해야 하겠어요? 나도 당신이 싫다면 꼭 결혼해서 살자고 하는 그런 여자 아니에요. 나는 성춘향도, 안나 카레니나도 아닌 나일 뿐이에요."

기문숙이 다부지게 쏘아붙였다. 그 말이 어찌나 쌀쌀한지 찬바람이 휙휙 부는 듯했다.

"지금 뭐라고 했지? 성춘향이는 알겠는데 아내 카레라이스는 어느 집 기생이지?"

기문숙은 표준범을 물끄러미 바라보았다. 이런 순간을 농담으로 어물쩍 넘기려고 하다니…….

"아내 카레라이스라니?"

"지금 그랬잖아. 그게 어디 있는 음식점이지?"

그러나 그것은 농담이 아니었다. 무식한 표사장이 안나 카레니나를 알 턱이 없었다. 뒤늦게야 표사장이 농담하는 것이 아니란 것을 안 기문숙은 웃음을 터뜨렸다.

"하하하, 아이고 우스워. 하하하…… 내가 이런 사람한테 몸을 맡기다니, 미쳤지 미쳤어. 하하하……."

27
뜻밖의 도전

고미화가 표성희를 만나자고 한 것은 뜻밖의 일이었다.

아침에 고미화의 전화를 받고 난 성희는 그녀를 만나러 갈까말까 여러 번 망설였다.

그러나 막상 학교에서 오전 수업을 끝낸 성희는 발길이 저절로 약속 장소인 인사동 화랑가로 옮겨졌다.

고미화가 약속 장소로 지적한 곳은 50년도 훨씬 넘은 듯한 한옥을 개조하여 만든 특이한 찻집이었다. 성희도 이 찻집엔 몇 번 가본 적이 있었다. 미술사를 공부하고 있는 성희여서 미술 평론 관계 인사들이나 교수를 따라 자주 이 특이한 찻집에 드나들 기회가 많았기 때문이었다.

'양반집'이라는 이름이 붙은 이 찻집은 말 그대로 대청 마루며 안방, 건너방을 그대로 둔 채 목침 같은 조그만 의자와 소박한 탁자를 놓은 그런 집이었다. 그다지 성능이 좋지 않은 스피커에서는 사물놀이며 가야금 산조 같은 음악이 조용히 흘러나왔다.

손님들도 대부분 그림과 관계가 있는 화가, 미술 평론가, 미술 관계 기자, 미술대학 학생 같은 사람들이었다.

성희는 약속한 시간보다 5분쯤 일찍 다방에 도착했다.

"여기예요."

성희가 채 문 안에 들어서기도 전에 고미화가 손을 들어 보이며 불렀다.

보랏빛의 한복 차림에 수수한 머리 모양이 이 집 분위기와 잘 어울렸다.

"일찍 오셨군요."

성희가 맞은편 의자에 털썩 주저앉으며 인사 대신 던진 말이었다.

마주 앉아 자세히 보니 고미화의 보라색 한복이 그렇게 화사하게 보일 수가 없었다. 희고 고운 갸름한 얼굴과 숱이 적은 눈썹이 한복과 잘 어울려 조선 시대의 미인을 보는 것 같다고 속으로 생각했다. 그림을 그리는 사람이란 개성이 뚜렷하고 세련된 분위기를 풍기고 있었다.

"차 주문부터 하시죠. 나도 금방 왔거든요."

고미화가 웃어 보였다.

"칡차가 어떨까요?"

성희가 얌전히 말했다. 이곳에 들어오기 전까지는 고미화에 대해 막연한 적대감 같은 것을 가지고 있었지만, 마주 앉고 보니 그런 감정이 조금 누그러지는 것 같았다.

성희가 고미화에 대해 적대감을 가지게 된 것은 두 가지 이

유에서였다.

첫째는 그녀가 죽은 김명주의 단짝 친구라는 점이었다. 김
명주가 싫기 때문에 그 친구도 싫었던 것이다.

두 번째 이유는 그녀와 정혁태의 관계 때문이었다. 한때 사
랑하는 사이였는지 혹은 그냥 걸프렌드 관계에 지나지 않은지
확실히 모르지만, 혁태와는 보통 사이가 아니란 것이 성희에
게 좋게 받아들여지지 않았다.

"나도 칡차가 좋겠네. 여기 자주 오시는 모양이죠?"

고미화가 미소 띤 얼굴로 말했다. 성희는 그냥 조금 웃어 보
이며 고개를 끄덕였다.

"일부러 나오시라고 해서 미안해요. 오늘 찻값은 제가 낼게
요. 참, 지금 석사 논문을 준비하신다고 했죠? 어떤 테마를
잡으셨나요?"

"겸제에 관한 것이어요."

"겸제? 좋은 테마를 잡으셨군요. 사실 겸제에 관해선 알려
지지 않은 부분이 너무 많죠. 나도 그 사람의 산수화를 너
무너무 좋아하거든요. 우리 나라 산들이 가지고 있는 우람
하고 신비스런 분위기가 그대로 가슴에 와 닿거든요. 그렇
게 느끼시지 않으셨어요?"

고미화가 금방 가져다 놓은 찻잔을 두 손으로 감싸 따스한
촉감을 즐기면서 말했다. 성희는 다시 조금 웃어 보였다.

두 사람은 한동안 아무 말도 하지 않고 차만 조용히 마셨다.

"저를 만나자고 한 것은……?"

한참 만에 성희가 입을 열었다.

"예, 좀 긴히 나누고 싶은 이야기가 있어서요. 우리 진부령

스키장에서 만난 뒤 처음이죠?"

"그랬던가요?"

"왜 혁태씨하고 같이 만나지 않았어요? 그날 즐거웠어요?"

성희는 그냥 고개만 끄덕였다.

"실은 혁태씨에 관한 얘기를 좀 나누고 싶었거든요. 그런데 그만두는 게 나을 것 같아요. 우리 딴 이야기 해요. 참, 현대 7인전 가보셨어요?"

고미화가 말끝에 엉뚱한 질문을 했다. 혁태에 관한 이야기를 하려고 했다는 말이 성희의 신경을 건드렸다. 자기가 혁태에 관해 무엇을 이야기하겠다는 것인가?

"어때요, 우리 7인전 보러 가지 않을래요? 여기서 걸어가면 얼마 안 걸려요."

고미화가 이번에는 성희의 의견도 듣지 않고 벌떡 일어서서 찻값을 먼저 계산하고 문을 나섰다.

성희는 좀 불쾌했지만 그냥 아무 말 하지 않고 따라 나섰다. 왜인지 고미화한테 한 풀 꺾이고 들어가는 것 같은 생각이 들었다.

"우린 둘이서 전시회에 자주 다녔거든요. 전시장 갈 때는 구운 오징어 다리를 사가지고 질겅질겅 씹으면서 그림을 감상했어요. 개도 오징어 다리를 그렇게 좋아했는데……."

"개라뇨?"

성희는 혁태를 그렇게 부르는 줄 알고 되물었다.

"명주 말예요, 김명주. 개 참 욕심꾸러기였지. 전시장에서 그냥 주는 얄팍한 팜플렛 같은 걸 난 그냥도 귀찮아서 가지고 다니기 싫어했는데, 개는 꼭 두 장씩 가지고 갔다니까."

"그랬어요?"

"그랬다뿐인가요. 욕심쟁이에다 또 얼마나 노랭이였는지 몰라. 오죽하면 같은 과의 친구들이 돈명주라고 했을까?"

"돈명주? 머리가 돌았었나요?"

"그렇게 들렸나? 호호호."

고미화는 걷던 걸음을 멈추고 서서 허리를 잡고 웃었다.

"미스 표도 참 재미있는 아가씨야. 머리가 돌았다고 해서 돈명주가 아니고, 돈만 너무 밝힌다고 돈명주라고 했어요. 걔는 늘 돈 많은 남자 아니면 시집 가지 않겠다고 했거든요. 결혼 조건 다섯 가지가 모두 돈하고 관계되는 것이었으니까요. 결국 돈 많은 표사장님께 시집 갔으니까 소원을 풀긴 푼 것 아네요?"

고미화가 성희의 표정을 살피며 말했다. 성희는 아버지 이야기가 나오자 별로 유쾌하지 못한 표정이 되었다. 성희의 표정을 살핀 고미화는 얼른 말머리를 돌렸다.

"참, 명주를 죽인 범인은 밝혀졌나요?"

"자살인지 타살인지도 모르는데 무슨 범인이 밝혀집니까?"

표성희가 불쾌하게 쏘아 버렸다.

"아니, 아직 그것도 명확히 밝히지를 못했나요? 경찰은 도대체 뭣하는 사람들이에요?"

성희는 더 이상 아무 말도 하지 않았다. 그들은 7인전을 다 구경할 때까지 거의 아무 말도 하지 않았다.

성희는 고미화가 정혁태에 관해 이야기하겠다고 한 말이 계속 마음에 걸렸다. 무슨 이야기인지 꼭 들어야겠다는 생각이 들었다.

7인전 구경을 마치고 화랑을 나올 때, 성희가 제안했다.

"저녁 때도 다 됐는데 우리 어디 가서 파이나 먹지 않겠어요?"

"파이? 그거 좋겠는데……. 그래요, 저쪽 종로 쪽에 잘하는 파이집이 있어요. 그 집으로 가요."

뜻밖에 고미화가 성희의 제안을 즐겁게 받아들여 두 사람은 다시 10여 분을 걸어 파이집으로 들어갔다.

"아까 하려다가 그만둔 얘기 다시 하면 안 될까요?"

성희는 고미화를 뭐라고 불러야 할지 적당한 호칭이 생각나지 않아 그냥 어물어물 주어를 빼고 질문했다. 고 선생님이라고 할 수도 없고, 그렇다고 자기보다 두 살이나 위인데 미스 고라고 하기도 뭣했다.

"음, 정혁태씨 이야기 말이군요. 말이 나온 김에 해버려야겠어요."

성희가 마른 침을 삼키며 고미화의 얼굴을 쳐다보았다.

"나 정혁태씨하고 결혼할까 해요."

"예?"

성희는 너무 놀라 저도 모르게 큰 소리가 나와 버렸다. 참으로 뜻밖의 말이었다.

"왜 그렇게 놀라세요? 결혼하면 안 될 일이라도 있나요?"

고미화도 성희의 태도에 놀란 것 같았다.

"아, 아니에요."

그제사 성희는 자기의 속셈을 다 열어보인 것 같아 표정을 가다듬었다.

"정형도 그렇게 생각하고 있나요?"

성희가 조용히 물었다.

"아직 확실한 결정은 서로 하지 않았지만, 나만 좋다고 하면 별문제가 없을 것 같아요."

"그럼 그 동안 서로 결혼에 관한 이야기를 여러 차례 해오셨겠군요?"

"그런 건 아니지만 이심전심으로 생각했을 거예요."

"그런데 그 이야기를 왜 나한테 들려주려고 하는 거죠?"

성희가 이번에는 조금 빈정대고 싶은 심정으로 말했다. 혁태에 대한 배신감 같은 것이 느껴졌다. 괘씸한 생각이 슬그머니 고개를 들었다.

"정혁태씨 친구 중에 가장 친한 분 같아서 의견을 들어보고 싶었어요. 뭐 별다른 뜻이 있어서는 아니랍니다."

"나는 남의 결혼 상담이나 해줄 정도로 늙은 여자는 아닌데요."

표성희가 이번에는 노골적으로 불만을 표시했다.

"아이, 미안해요. 그렇게 생각한다면 내가 미안해서 어떻게 하나……."

고미화는 여전히 웃는 얼굴로 대꾸했다.

성희는 고미화를 쳐다보지도 않고 할 말을 다 한 뒤 휑하니 돌아서서 나와 버렸다.

길 건너 다방으로 들어간 성희는 혁태의 하숙집으로 전화를 걸었다. 마침 혁태가 집에 들어와 있었다.

"정혁태씨, 축하합니다."

혁태의 목소리가 나오기 무섭게 성희가 또박또박한 목소리로 말했다.

"축하? 하하하, 그걸 어떻게 알았지?"

혁태는 뜻밖의 반응을 보였다.

"내가 왜 모르겠어? 나는 귀도 눈도 없는 굼벵이인 줄 아
슈?"

성희가 목청껏 고함을 지르며 악을 썼다.

"뭐 이번이 마지막이야. 이제 졸업할 때까지 등록금 걱정
안 해도 돼. 까딱했다간 전액 아닌 반액 장학금 받을 뻔했
다니깐, 하하하."

"뭐라고?"

성희는 우는지 웃는지 모를 야릇한 표정이 되었다.

"정형, 고미화하고 결혼한다면서?"

"뭐라고? 누가 그래?"

"누군 누구야. 고미환지 고구만지 하는 여자지."

"정말 그 여자가 그랬어?"

"그럼 내가 뭐 거짓말하는 약 먹은 줄 알아?"

"난 무슨 뚱딴진지 모르겠다. 성희, 지금 어디 있니? 우리
만나서 이야기하자. 거기 어디야?"

정혁태의 다급한 목소리를 들으며 성희는 수화기를 놓아 버
렸다. 그리고 돌아올 때보다는 가벼운 발걸음으로 다방을 걸
어나갔다.

28
시련의 종말

김명주 변사 사건과 최병호 피살 사건이 여러 달 흘러도 아무런 단서를 잡지 못하자, 상부에서는 독촉이 심했다. 도대체 추경감은 무엇을 하고 있느냐는 것이었다.

윗사람들은 신문에 얻어맞고 검찰에 불려 다니는 것이 이제는 지겹다는 것이었다.

추경감과 강형사는 사건을 처음부터 다시 수사하기 시작했다. 사건이 막히면 현장으로 돌아가라는 수사 격언을 떠올렸던 것이다.

싱크로나이즈드 선수 출신의 젊은 여인이 수영복 차림으로 자기집 풀에서 수영하다가 익사했다는 것이 도대체 처음부터 말이 되지 않았다.

새벽부터 풀장에서 수영을 했다는 것도 이상하거니와 한 길도 안 되는 풀에서 익사했다는 것이 납득되지 않았던 것이다.

부검 결과 사인은 익사였다. 폐에서 다량의 물이 검출되었을 뿐 아니라 심장마비나 외상은 전혀 없었다.

익사로 인해 나타나는 여러 가지 징후만이 드러나 있었다.

위에서 약간의 수면제와 알콜이 검출되었지만 그것은 그녀의 습관을 알고 보면 이해가 되는 일이었다.

그녀는 그 무렵 약간의 불면증이 있어 수면제를 복용하고 있었다. 그뿐 아니라 때로는 포도주나 위스키 같은 것을 잠자기 전에 한 잔씩 하기도 했다.

표사장과 잠자리를 같이 하는 날에는 두어 잔씩 마셔 기분을 돋우기도 했다는 것이다.

그렇다면 위나 장에서 약간의 알콜이나 수면제가 검출된 것이 하나도 이상할 것이 없었다.

사망 추정 시간은 새벽 2시에서 4시 사이.

도대체 가정 주부가 한밤중에 왜 수영복을 꺼내 입고 풀장에 갔을까?

불면증에 시달리던 그녀가 침실에서 견디다 못해 수영복을 꺼내 입고 정원의 풀장으로 갈 수도 있을 것이다. 고등학교 때 싱크로나이즈드 팀의 추억을 더듬어 올렸을지도 몰랐다.

그러면 얕은 물에서 왜 익사를 했을까?

"아무래도 누군가가 밤중에 수영하는 젊은 여자의 모습을 보고 나쁜 짓을 하지 않았을까요?"

심각해 하는 추경감을 보고 있던 강형사가 불쑥 한마디했다.

"누가 보고 있었단 말이야, 새벽 4시께……?"

"그 집에 있던 사람이나, 또는 몰래 숨어 들어온 도둑이라든지……."

"그날 밤 그 집에 있었던 사람은 다 조사를 해봤지만 특별히 이상한 점은 하나도 발견하지 못했잖아. 우선 남편 표준범은 그날 밤에 집에 없었던 것이 확실하단 말야. 그 독일서 온 바이어인지 뭔지하고 호텔에 있었던 것이 확인되었잖아."

"그 외에도 최병호나 운전기사 박씨, 표성희, 부엌일 하는 꼭지 등이 있지 않아요. 그뿐 아니라 시체를 제일 먼저 발견했다는 정혁태 말입니다. 그 녀석도 수상합니다."

"정혁태는 그날 밤에 거기 없었다는 것 아냐."

추경감이 짜증스럽게 말했다.

"그걸 어떻게 믿습니까? 총각이 처녀 방에서 자고는 '내가 어젯밤에 이 집에서 잤습니다' 하고 바른말할 위인이 있겠습니까?"

추경감은 담배를 꺼내 물었다. 강형사가 재빨리 라이터 불을 켜대자, 추경감은 훅 불어서 불을 꺼 버리고 자기 호주머니에서 고물 지포 라이터를 꺼냈다. 불이 켜지지 않아 철거덕거리기만 했다.

"반장님 고집도 알아줘야지."

강형사는 그 모습을 지켜보고 섰다가 혼잣말처럼 중얼거렸다.

"그렇다면 일단 강력한 용의자는 최병호, 박씨, 표성희, 정혁태로 봐야겠구먼. 꼭지는 제외시키는 것이 옳겠어. 여러 가지 동기로 보아 최병호가 가장 유력한 용의자인데 그 녀석이 죽어 버렸으니……."

"그러면 김명주 살해범과 최병호 살해범을 일단 다른 사람으로 봐야 한다는 말씀입니까?"

추경감은 그 말에는 대답하지 않았다. 한참 잠자코 있던 추경감이 다시 입을 열었다.

"최병호가 김명주를 죽였다고 가장한다면 그 동기가 석연치 않단 말이야."

"그거야 치정 관계로 보아야지요."

강형사가 말을 계속했다.

"김명주는 평소에도 첫사랑의 대상이었던 최병호를 끔찍이 생각하고 있었던 것이 분명합니다. 여주댁이나 운전사 박씨의 말을 들어보면 틀림없어요. 김명주는 표사장이 회사 일로 바빠 집에 들르지 않는 날이면 대개 최병호와 함께 지냈다고 하거든요. 남녀가 한 집에 살면서 기회가 날 때마다 어울린다면 그게 무엇을 말하는지 뻔한 일 아닙니까."

"함부로 마구 추측을 하지 말아. 강형사는 그게 탈이야."

추경감이 나무랐다.

"반장님, 그게 다 근거 있는 이야깁니다."

"하지만 그런 것이 김명주를 죽인 동기가 될 수는 없잖아."

"물론입니다. 애증이란 말을 들어보셨습니까? 사랑과 미움, 그것은 종이 한 장의 차입니다. 사랑이 짙어지면 미움으로 바뀔 수도 있고, 짙어진 사랑만큼 미움도 깊어질 수 있는 겁니다."

"아쭈, 철학자 형사 나셨네."

추경감이 빙그레 웃으며 말했다.

"최병호는 표사장 집에 들어와서 처음에는 조심스럽게 김명주를 대했었지요. 그야말로 사장 비서와 사모님 사이 같은 것이었지요. 그러나 시간이 흐르고 김명주가 자기 품속에 들어오자, 이젠 사정이 달라졌죠. 대담해진 최병호는 김명주를 마치 자기 아내 다루듯 하고, 툭 하면 몸을 요구할 뿐 아니라 금전까지 우려 갔지요. 말하자면 집안에 제비가 생긴 겁니다."

"집안의 제비라? 하하하, 그거 재미있군. 그래서……."

"그렇게 되니까 시달리다 못한 김명주가 최병호를 피하게 되었을 겁니다. 이 집에서 나가 달라고 했든가, 아니면 이제 관계를 끊자고 했든가, 뭐 그런 일이 일어났을 겁니다. 그렇게 되니까 잔뜩 달아오른 최병호는 김명주를 배신자로 본 것이지요."

"그러면 최병호가 어떻게 김명주를 죽였다는 말인가?"

"김명주는 불면증에 시달리다 그날 밤도 풀장으로 나갔겠지요. 물 속에서 혼자 천천히 수영을 즐기고 있을 때, 마침 밖에 나와 있던 최병호가 풀 속의 미녀를 발견한 것이지요."

강형사의 추리는 계속되었다.

새벽 2시라고 해도 후덥지근한 서울의 여름 밤.

명주가 풀로 첨벙 뛰어들어 멋진 포즈로 물을 가르며 건너편까지 갔을 때였다.

"명주."

누군가가 숲속에서 나오며 나직이 불렀다. 명주가 깜짝 놀라 몸을 움츠리며 소리난 곳을 지켜보았다.

"나요. 최야 최. 시원하겠습니다."

최병호는 어둠을 어깨에 진 채 성큼성큼 명주 앞으로 다가
섰다.

"아니, 이 밤중에 웬일예요?"

명주는 긴장을 풀며 나직이 말했다.

"덥고 칙칙해서 말야. 나도 멱 좀 감을까 하고……."

최병호는 수영복 차림의 명주 몸매를 희미한 불빛 아래서
흘깃흘깃 보며 옷을 벗어던졌다.

그는 금세 알몸이 되어 풀로 슬쩍 들어왔다.

"명주, 이게 얼마 만이냐?"

최병호는 뒤에서 명주를 감싸안으며 귀에 대고 속삭였다.

"왜 이래요? 누가 봐요."

명주는 자기 가슴을 꽉 껴안은 최병호의 손을 풀려고 애를
쓰며 말했다.

"나보고 당신 곁을 떠나 달라고? 누구 맘대로 그렇게 해?"

"여기서 왜 이래요?"

명주가 몸부림쳤다.

"당신 앞으로 된 재산이나 한몫 떼줘. 그러면 나도 표준범
이 놈처럼 회사 사장이나 좀 하게. 이제 와서 나보고 빈털
터리로 떨어져 나가라고? 누구 좋으라고 그렇게 한단 말야.
내가 어떻게 살아온 놈인지 너 몰라서 그러는 것은 아니겠
지?"

완전히 협박으로 나왔다. 그러면서도 최병호는 명주의 수영
복을 벗겨내고 있었다. 손이 닿아선 안 될 곳을 마음대로 주무
르며 다녔다.

"놓아요. 이 더러운 손, 놓으란 말야!"

　김명주가 나직하지만 힘있는 목소리로 말했다. 그러나 최병
호는 들은 척도 하지 않고 하던 짓을 계속했다.

　철썩!

　김명주는 최병호의 팔을 비틀어 뿌리치고 돌아서면서 따귀
를 힘껏 갈겼다.

　쥐 죽은 듯이 고요한 정적을 깨는 그 소리는 벽력과도 같았
다.

　"이런 나쁜 년! 어디 내 손에 죽어 봐라."

　화가 머리끝까지 난 최병호는 명주의 긴 머리칼을 두 손으
로 움켜쥐고 명주의 머리를 물 속에 처박았다.

　"죽어라, 죽어! 이 배신자."

　최병호가 미친 듯이 날뛰다가 제 정신이 들었을 때, 김명주
는 이미 이 세상 사람이 아니었다.

　강형사의 추리를 듣고 난 추경감은 빙긋 웃으며 말했다.

　"그럴 듯한 추리지만, 증거가 없잖아."

29

곰 발바닥과 디스코

"형, 곰 발바닥 요리라는 것 먹어봤어?"

표성희가 메뉴 책으로 테이블을 장난스럽게 탁탁 치면서 말했다.

"뭐, 곰 발바닥? 어디 먹을 게 없어서 곰의 발바닥을 다 먹냐? 더구나 우리가 곰의 자식이면서 말이야."

이 호텔 중화요리 식당으로 들어올 때부터 혁태는 뭔가 좀 다른 예감이 들었다.

성희가 좋아하는 것은 파이 종류였다. 아니면 간편한 면류 같은 것이었다. 그런데 오늘 따라 느닷없이 최고급 요리가 먹고 싶다면서 혁태를 끌고 이곳으로 왔던 것이다.

"안심해. 여긴 중국 요리집이니까 중국 곰 발바닥일 거야. 어때, 한 번 먹어 보지 않을래?"

성희는 혀를 날름 내보이고 웃으면서 말했다. 조금은 겸연쩍다는 표시였다. 배짱 좋고 비위 좋은 성희도 그럴 때가 있는 모양이라고 혁태는 생각했다.

성희는 열두 가지 코스의 중국 요리를 주문하면서 그중의 하나로 곰 발바닥을 넣었다.

웨이터는 두 사람을 경이스런 눈으로 한참 쳐다보다가 허리를 굽신하고는 물러갔다.

"이봐, 그거 비싼 것 아냐?"

혁태가 불안해 하면서 말을 건넸다.

"비싸 보았자지 뭐. 1인분에 백만원 더 하겠어?"

"뭐라고?"

"호호호, 우리 아버지 갑부라는 것 형도 알잖아. 내가 펑펑 마구 써주지 않으면 돈에 곰팡이 슬지도 몰라. 우리 아버지는 평생 먹고도 남을 만한 돈이 있으면서도 돈을 더 벌기 위해 수단 방법을 가리지 않는 사람이야. 이 세상에 있는 돈을 다 긁어모을 작정을 한 것 같아."

"이 세상 돈을 다 긁어모아 무엇에 쓰신다는 거야?"

"돌아가신 뒤엔 모두 내 차지가 될 것 아냐? 그래서 난 지금부터 쓰기로 작정했어. 무남독녀가 이럴 때 좋은 것 아냐? 재산 땜에 물고 뜯고 싸우고 재판 걸고 할 형제도 없고 말야. 내가 아버지 재산 상속받으면 반은 부산 있는 우리 엄마한테 드릴 거야. 아니, 몽땅 드렸으면 좋겠어……"

어머니 이야기를 하면서 성희는 창 밖을 내다보았다.

분주한 도시의 모양이 한눈에 내려다보였다. 모두가 제각기 자기 삶을 위해 바쁜 모습이었다. 성희의 얼굴에 잠시 쓸쓸한 그림자가 지나갔다. 어머니 생각을 하자 우울해진 모양이었다.

"자, 음식 식겠어. 부지런히 먹어치우자구."

혁태가 성희의 안색을 살피면서 말했다.

그들은 이상한 양념 맛뿐인 곰 발바닥 요리를 포도주와 함께 억지로 먹어치웠다. 비프 스테이크보다 훨씬 못한 맛이었다. 지방을 제거시킨 돼지고기 맛과 흡사했다.

"곰 발바닥이란 것이 맛은 형편없군. 그런데 무엇 때문에 이런 걸 비싼 돈 주고 사먹을까?"

혁태가 심히 못마땅해 하면서 불평을 했다.

"곰은 발바닥으로 각종 음식물을 덮쳐서 먹는다고 하잖아. 벌꿀 집도 앞발로 덥석 덮쳐 가져다 먹기 때문에 그 발바닥은 스테미너투성이라고 식도락가들이 말하더라구."

"하릴없는 식도락가들의 헛소리일 거야. 나 같으면 돈 주면서 먹으라고 해도 생각 좀 해봐야겠다고 하겠어. 이런 걸 요리라고 먹다니? 노리끼리한 불쾌한 냄새며 말발굽을 씹는 것 같은 그 멋대가리 없는 맛……."

"하긴 고기도 먹어본 사람이 먹는다고 하잖아요. 평생 안 먹어본 곰 발바닥을 먹었으니 그 맛이 오죽하겠어요. 사실은 나도 억지로 참고 먹었어요, 호호호."

혁태도 숨을 죽이고 조용히 따라 웃었다.

성희는 2인분에 52만7천원이라는 호된 요리값을 물고 호텔을 나왔다. 평생에 그렇게 비싼 식사를 해보기는 처음이었다.

"고미화가 여러 차례 정식 결혼을 신청해 왔단 말이지?"

표성희가 정혁태와 팔짱을 끼고 호텔 현관을 나서며 물었다.

"두 번. 정식으로 청혼을 받아보기는 고미화가 처음이야."
"그래, 기분이 어땠어요? 우쭐했겠구먼."
성희가 혼자 묻고 대답했다.
"그래, 고미화하고 결혼해야겠다고 생각한 적은 한 번도 없단 말이지?"
"물론이야."
"어째서 그래? 뛰어난 미인에다가, 이름 있는 여류 예술가, 더구나 상당한 재산까지 갖춘, 그야말로 일등 신부감 아니우? 형한테는 분에 넘치는 호박인데. 호박이라도 넝쿨째 굴러들어온 황금 호박이지. 그래, 집안도 변변치 못하고 돈도 없고, 장래도 썩 훤하지 못한 법과대학 복학생. 정형한테 객관적으로 팔릴 만한 구석이 어디 있어요? 정형한테 비하면 고미화는 그야말로 킹카지 킹카."
"나를 그렇게밖에 볼 수 없어?"
혁태는 몹시 불쾌한 모양이었다.
"그럼. 아무리 더 봐줄래야 봐줄 게 있어야지."
"나는 고미화 같은 여자가 가진 것에 비하면 못 가진 게 많아. 지금 성희가 이야기한 것 같은 재산도 명성도 없어. 그것만 없는 것이 아냐. 교활한 처세술도 지저분한 스캔들도 없어. 2천cc짜리 자동차도 없어. 하지만 고미화가 안 가진 걸 내가 가진 것은 있지."
"그게 뭔데?"
"순수한 야망, 깨끗한 정열, 불굴의 향학열, 불타는 정의감, 그리고……."
"후후후……."

"왜 웃어?"

"어지간히 자랑할 것도 없군. 그게 다 비웃음거리지 무슨 자랑이야? 그런 사람을 사전에 뭐라고 써놨는지 알아요?"

"뭐라고 써놨을까?"

"숙맥, 하하하."

"뭐라고? 허허허."

혁태도 할 수 없다는 듯이 덩달아 웃었다.

"그래서 뭐라고 답변했어요? 청혼받은 뒤에 말예요. 이거 뜻밖의 영광이군요. 잘 생각해서 좋은 대답 올리겠습니다. 이렇게 말했겠지?"

"천만에."

"그럼?"

"한마디로 대답하면 노이고, 두 마디로 대답하면 노땡큐입니다고 말했지."

"정말이야? 그럴 땐 정혁태다운 데가 있긴 있군."

성희는 그 대답이 퍽 마음에 드는 모양이었다.

"정형."

"응?"

"우리 결혼해요. 오늘 당장 어때요? 부산 가서 어머니 앞에서 할까?"

성희가 갑자기 얼굴이 상기된 채 말했다.

"오늘 당장 결혼을 하자고? 여기가 지금 미국 서분 줄 알아? 여기는 한국의 서울이야. 서툴게 미국 서부 개척 시대 흉내내다간 웃음거리밖에 더 되겠어?"

"쳇! 결혼하는 데 뭐 국제 정세 봐가면서 하나? 미국이면 어떻고 서울이면 어떻단 말야. 우리 마음대로 하는 것이지. 형, 혹시 고미화 때문에 꽁무니 **빼는** 것은 아니겠지?"

표성희가 걷던 걸음을 멈추고 혁태를 쳐다보면서 말했다.

"말도 안 되는 소리 하지 말아요. 결혼이란 기분 내키는 대로 아무하고나 쉽게 해치우는 게 아니란 말야. 신중히 생각하고 엄숙하게 거행하는 것이 결혼이란 말야."

"아주 어른처럼 얘길 하네, 호호호."

성희가 간드러지게 웃었다. 정혁태한테 저런 점이 있었다는 것을 처음 발견한 것 같았다.

"저기 좀 들어가 볼까?"

요란한 디스코홀의 네온사인을 보면서 성희가 말했다.

두 사람은 말없이 컴컴하고 소란스러운 초저녁의 디스코홀로 들어섰다. 자욱한 담배연기 속에 귀를 찢는 듯한 경음악이 흘러나왔다.

좁은 무도장에는 신들린 젊은 남녀가 어울려 춤을 추고 있었다. 엉덩이가 서로 부딪치고 때로는 팔꿈치가 옆 사람의 옆구리를 치는 일이 있지만 서로 아랑곳 않고 몸을 비틀기에 여념이 없었다.

성희와 혁태는 맥주 두 병을 단숨에 마신 뒤 서로 잡고 앞의 무도장으로 나가 광란의 물결 속에 휩싸였다.

디스코 가락에 맞추어 마주 보며 몇 차례 몸을 흔들던 성희는 돌연 혁태의 허리를 붙들고 늘어졌다.

"아니……."

혁태는 갑작스런 성희의 행동에 처음에는 조금 당황했으나 곧 성희와 어울려 두 팔로 그녀의 어깨를 감싼 채 디스코곡에 맞추어 춤을 추기 시작했다.

서로의 몸을 밀착시킨 채 디스코 가락에 맞추어 춤을 추기란 그렇게 쉬운 일이 아니었다.

성희를 껴안은 채 폴짝폴짝 뛰면서 무도장을 휘젓고 다니는 자신들의 모습이 남들한테는 웃음거리로 보일 것이란 생각이 자꾸 들어 혁태는 성희를 구석 쪽으로 끌고 들어갔다.

밀착된 가슴이며 허리, 허벅지를 통해서 전달되는 성희의 성숙한 육체를 혁태는 은근히 즐기고 있었다.

"형, 이런 디스코를 왜 사람들이 생각해내지 못했을까요?"

성희가 혁태의 허리를 더욱 세게 끌어당기며 그의 귀에 대고 간지럽히듯 부드러운 목소리로 말했다.

그녀도 우람하고 단단한 혁태의 육체에서 일종의 쾌감 같은 것을 느끼고 있었다.

"이게 바로 혁성식 디스코라는 거야."

혁태가 성희의 속삭임을 받아주었다.

"혁성식? 오라, 혁태와 성희의 디스코란 말이군, 호호호. 아이구 우스워, 호호호……."

성희는 갑자기 혁태를 놓아 버린 채 혼자 허리를 잡고 웃었다.

"하하하……."

두 사람은 춤을 추지 않고 마주 보며 유쾌하게 웃기만 했다.

한참 웃고 난 그들은 다시 테이블로 돌아와 맥주를 마시기 시작했다.

"오늘 저녁에 혼자 가버리면 안 돼."

성희가 맥주로 상기된 얼굴에 웃음을 흘리며 말했다.

"우리 집으로 가는 거야. 그리고 혁성식 디스코를 추는 거
야. 내 방에서 말야. 호호호, 얼마나 재미있을까? 아담과 이
브처럼 아무것도 걸치지 않은 순수한 모습으로 추면 더 멋
있을 거야. 얼마나 순결한 춤이 될까?"
성희는 점점 술에 취해 갔다.

30
밀실의 남과 여

　담요처럼 푹신하고 큼직한 타월로 아랫도리만 가린 표사장이 들어섰다. 어깨와 털투성이 가슴에 땀방울인지 물방울인지 모를 물기가 그대로 남아 있었다.

　머리도 물이 채 마르지 않아 윤기가 흘렀다. 얼굴은 상기되어 적당히 한잔 한 모습 같았다.

　"어이, 개운해."

　표사장은 앞에 있는 장마담을 의식하지 않은 사람처럼 기다란 가죽 소파에 털썩 주저앉았다. 반은 누운 자세로 편안하게 앉아 창 밖의 모습을 바라보았다.

　장마담은 얇은 목욕 가운만 입은 채 소파에 걸터앉아 열심히 얼굴을 다듬고 있었다.

　가운 하나만 입은 탓으로 몸매가 그대로 드러나 보였다. 가늘고 잘록한 하얀 발목과 그 밑으로 소녀의 발과 같은 자그마

한 발이 매혹적이었다. 흰 발목 위로 곧게 뻗은 정강이가 불빛
에 대리석처럼 반짝였다. 가운 밑에 숨겨진 다리의 윗부분과
육중한 히프가 소파를 짓누른 모습은 더욱 육감적이었다.

동그스름한 어깨 선과 출렁이는 두 개의 유방은 잘 대조가
되었다.

물기 있는 생머리를 손질 않은 채 그대로 늘어뜨린 모습은
장마담을 대여섯 살은 더 젊어 보이게 했다.

장마담, 즉 기문숙은 표사장이 들어와 편한 자세로 누워 담
배를 피워 물 때까지 앉은 자세로 열심히 자기 얼굴만 다듬고
있었다.

K호텔 사우나의 프라이비트 룸. 이 호텔 사우나 특별 회원
인 두 사람은 개인적으로 사용할 수 있는 휴게실을 가지고 있
었던 것이다.

호텔 사우나 보통 회원권은 한 사람당 2천만원이었다. 2천
만원만 내면 일생 동안 무료로 욕실을 드나들 수 있고 공동
휴게실을 사용할 수 있는 것이다.

그러나 그 배인 4천만원을 내면 특별 회원이 되어 그 가족
과 함께 개인 휴게실을 사용할 수 있었다. 이 프라이비트 룸은
물론 예약을 해야만 쓸 수가 있는 것이다.

표사장은 자기 사무실에 침실을 만들어놓기도 했고 욕실도
만들었다. 그뿐 아니라 집에는 하렘과도 같은 호화판 욕실이
딸린 침실도 있었다. 그런데도 휴식을 취할 때는 대부분 이 사
우나의 프라이비트 룸에서 시간을 보냈다. 그것도 대개는 여
자와 함께였다.

때로는 친구들과 어울려 술을 마시기도 하고 고스톱을 치기

278

도 하지만 그건 드문 일이었다. 바이어들이 오면 접대용으로
쓸 때도 있었다.

담배를 피우면서 창 밖을 내다보고 있던 표사장이 갑자기
벌떡 일어서서 사방을 둘러보았다.

서너 평 됨직한 방은 깔끔하고 고급스럽게 꾸며져 있었다.
가운데 높낮이를 조정할 수 있는 소파 겸 휴식용 장의자가 두
개 놓여 있고, 구석에는 조그만 원탁 테이블과 예쁘게 생긴 플
라스틱 의자가 네 개 놓여 있어 분위기를 우아하게 했다.

그 곁에는 화장대와 큼직한 거울이 달려 있고, 반대쪽에는
냉장고와 VTR 플레이어를 갖춘 텔레비전도 놓여 있었다.

옆의 빈 공간, 옷장 앞에는 간단한 헬스 기구가 몇 가지 놓
여 있어 방의 호화로움을 더했다. 옷장 옆의 작은 문은 화장실
이었다.

호텔의 어느 VIP 룸 못지 않게 잘 꾸며진 방이었다.

사방을 한 바퀴 둘러보고 난 표준범은 허리에 두르고 있던
타월을 벗어던졌다.

당당한 모습이 방안을 압도했다.

나이가 들었지만 떡 벌어진 어깨, 탄탄한 팔의 근육, 두툼한
목덜미, 약간 나오긴 했지만 탄력 있어 보이는 아랫배, 그리고
우람한 하체가 남자다웠다.

가운데 버티고 선 표준범의 모습을 옆으로 흘깃 훑어본 기
문숙은 갑자기 충격을 받은 듯 잠시 동안 꼼짝도 하지 않았다.

한참 동안 표준범의 아래위를 훑어보던 기문숙은 그 눈동자
가 차차 경이로운 빛으로 가득 찼다.

"주책이셔."

기문숙이 미소를 지으며 말했다.

"어때? 아직 젊은 놈 두서너 놈은 당해내겠지?"

"뭐가 말이에요?"

"뭐든지. 정력이든지 힘이든지……."

표준범은 양팔을 치켜들고 힘을 주며 근육을 움직여 보였다. 마치 보디빌딩 선수들이 하는 그런 모습이었다. 기문숙은 여전히 감탄스런 눈빛으로 그 모습을 바라보고 있었다.

표준범은 한동안 여러 가지 포즈를 기문숙에게 보여주었다. 마치 수공작이 꼬리를 세우고 춤을 추면서 암놈한테 구애를 하는 모습과 흡사했다.

"호호호……."

한참 동안 그 모습을 보고 있던 기문숙이 마침내 웃음을 터뜨렸다. 그것을 신호로 표준범이 앉아 있는 기문숙을 두 팔로 번쩍 안아올렸다. 그리고 엷은 베스 가운은 벗겨 버렸다. 자루옷처럼 원피스로 되어 있는 헐렁한 목욕 가운은 뱀 허물 벗겨지듯 밑에서부터 위로 쉽게 벗겨졌다.

허물을 벗겨 던지자 비너스가 탄생했다.

눈부신 나신이었다.

표준범은 거칠게 기문숙의 어깨와 허벅지를 들어올렸다. 마치 어머니가 어린아이를 안듯 안아올리고는 자기 입술로 기문숙의 얼굴을 삼킬 듯이 뒤덮었다.

"으으음, 숨막혀요."

기문숙이 표준범의 거친 기습을 벗어나려고 두 팔로 그의 가슴을 밀며 겨우 말 몇 마디를 뱉어냈다. 그러나 표준범은 들은 척도 하지 않고 더욱 세게 그의 팔을 죄어댔다.

"정말 숨막혀요."

기문숙이 하소연을 하자, 그제서야 표준범은 기문숙을 바닥에 내려놓았다. 그리고는 자기가 벗어던진 타월을 툭툭 발로 차서 편 뒤 그 위에다 기문숙의 나신을 반듯이 눕히고 잽싸게 위에서 껴안았다.

"아니, 또……."

그러나 기문숙은 별로 싫은 기색이 아니었다. 싫다기보다는 두 팔을 뻗어 표준범의 목에 매달리며 키스를 퍼부었다.

"우리, 언제 결혼해요?"

그녀는 꼭 중요한 대목에서 이 말을 잊지 않았다.

표준범은 흠칫했다.

밸밸밸…….

그때였다. 탁자 위에 있던 전화가 울렸다.

"야, 정말 미치겠네. 이 중차대한 시국에 저게 뭔 소리야?"

표준범이 짜증을 내면서 상체만 일으키고 전화를 받았다.

"여보세요, 누구야?"

"이 사람아, 나 백이야, 백."

자동차 매매 센터를 하는 백사장이었다.

"백사장? 그래, 언제 왔어?"

백사장이란 말에 표준범이 벌떡 일어나 앉아 전화를 귀에 바싹 댔다.

"방금 오는 길이야."

"거긴 어디야?"

"여기? 자네 집이라네."

"뭐, 우리 집에?"

"응, 표사장이 이 시간에 집에 있을 것 같아 집으로 왔\'가
허탕쳤지 뭐야. 거긴 누구하고 있는 거야? 장마담 거기 있
지? 자네 지금 장마담하고 장난치고 있는 거지? 대낮부터,
후후후……."

수화기에서 울려나오는 백사장의 목소리가 곁에 있는 기문
숙한테도 들릴 정도로 컸다.

"쓸데없는 소리 말고 거기 갔던 것만 이야기해……."

"아냐, 자네 하던 일부터 끝내. 괜히 장마담한테 꼬집히지
말고, 후후후……."

옆에서 귀를 세운 채 듣고 있던 기문숙이 정말 표사장의 허
벅지를 꼬집었다.

"아얏!"

"거봐. 그럼 전화 끊을……."

"아냐, 잠깐 잠깐……."

"왜?"

"오케이야 노케이야?"

"성질도 급하군. 그게 오케이 노케이로 결정될 일이야? 정
신병자가 뭐 오케이 노케이 하고 병원에 들어앉아 있는 줄
알아?"

"답답해 죽겠어. 빨리 이야기해 봐."

표준범은 안달이 났다.

"의사란 자는 만나서 탄로나지 않게 적당히 손봐 놨어. 그
런데 말야, 그 늙은이가 그걸 정확하게 기억을 하고 있더라
고. 평수까지 다 알던걸. 하지만 그게 어떻게 된다는 것은
깜깜이야. 쉽게 될 것 같으니 디데이를 잡으라고. 대서사하

고 변호사는 다 연락이 돼 있으니까 걱정 말고……. 그럼
이만 끊을 테니 재미 많이 봐. 하지만 급히 먹는 밥이 체한
다는 속담을 잊지 말아."

"백사장, 거기서 조금만 기다려. 내가 곧 집으로 갈 테니까
말야."

"그래? 알았어. 내 조회장도 불러놓을 테니까 오늘 밤 여기
서 한판 붙자구."

"좋지."

"그럼 이따가……."

전화가 딸깍 끊겼다.

"잘 돼 간다는 이야기 같군요."

기문숙이 웃으며 표준범을 쳐다보았다. 표준범이 다시 기문
숙을 타월 위에 반듯이 눕히고 몸을 포갰다.

"장마담도 나만큼이나 쇳가루 밝히는구먼……."

"남녀 동서고금을 불문하고 돈 싫다는 사람 본 일 있어요?"

"있지. 황금을 돌같이 여기라고 한 어느 바보가 우리 조상
중에 있었다면서? 당신은 유식하니까 잘 알 것 아냐."

"호호호……."

"서양 사람들을 봐. 시간은 돈이라고까지 하잖아. 그걸 봐
도 동서양 사람들은 달라."

"그나저나 그 일이 잘 된다니 다행이에요."

표준범이 왼팔로 기문숙의 목을 받치고 오른손으로 그녀의
탄력 넘치는 젖가슴과 허리를 애무하기 시작했다.

"오늘 밤 집에서 한판 붙자고 하더군. 백사장 말야, 조회장
까지 불러들인다니 어디 오랜만에 지전 맛 좀 보게 생겼구

먼⋯⋯."

"그 조회장이란 사람은 맨날 그렇게 쏟아붓고도 뒤탈 없어
요?"

"그런 걸 태평양의 모래 한 알⋯⋯."

표준범이 말을 채 끝내기도 전에 기문숙이 목을 껴안고 입
을 막아 버렸다. 기문숙의 뜨거운 정열이 꿈틀거리기 시작했
던 것이다. 기문숙의 유방은 소프트 볼을 반 쪼개서 엎어놓은
것 같은 완벽한 반구형(半球形)이었다. 기하학적인 아름다운
유방의 한가운데 오디처럼 생긴 핑크빛 유두가 꼿꼿이 서 있
었다.

표준범은 손바닥으로 부드럽게 유두를 감싸쥐고 천천히 손
바닥을 돌리면서 애무를 시작했다.

31
한 사람 빠진 노름판

　사우나탕의 프라이비트 룸에서 대낮에 벌어진 중년 남자와 30대 여인의 무르익은 정사는 뜨겁고 격렬했다.

　50여 년 살아온 온몸의 힘과 신경을 한꺼번에 다 쏟아붓듯이 정사는 정력적이었다.

　그 뜨겁고 줄기찬 사랑을 받아들이는 기문숙의 전신도 온통 불사르는 듯한 열정을 내뿜고 있었다.

　그들이 정사를 즐긴 것은 한두 번이 아니었다. 그러나 이날처럼 열을 뿜은 것도 드물었다.

　명주가 죽은 뒤 표사장은 주로 기문숙과 사랑을 나누었다. 김명주가 살아 있을 때는 이 여자 저 여자를 헤매다녔으나, 그녀가 죽고 나자 오히려 기문숙에게 묶인 모습이 되었다.

　김명주 없는 표사장을 기문숙은 더욱 튼튼한 줄로 묶고 있는지도 모를 일이었다.

　아니면 김명주의 죽음이 이 두 사람의 계산된 방법에 의해 이루어졌는지도 모를 정도였다.
　어쨌든 김명주가 죽고 나자 기문숙은 마치 표사장한테 빚이라도 받아내듯 내처 졸라댔다. 우선 표사장과 결혼부터 하자고 농담처럼 말했다.
　기문숙, 즉 장마담은 어느 한 남자한테 묶여서 살 여자가 아니란 것을 그녀를 아는 사람이면 다 아는 일이었다. 그런데 기문숙이 표사장과 결혼을 하자고 조르는 것은 진의가 어디 있는지 표준범 자신도 잘 몰랐다.
　“어쩜! 당신 너무 멋져요.”
　온몸이 땀투성이가 되어 표사장의 품에서 풀려난 장마담이 땅바닥에 널브러지며 감탄했다.
　실오라기 하나 걸치지 않은 몸이 불에 달구어진 채 아직도 열기를 뿜고 있었다. 그녀의 탄력 있는 육체가 꼼짝도 않고 바닥에 누워 있었다. 가쁜 숨과는 달리 만족한 그녀는 천천히 손을 뻗어 낮은 탁자 위에 있는 담배를 집어 들었다. 누운 채로 입에 물자, 표사장이 불을 붙여주었다.
　“장마담은 아직도 10대 소녀야. 어쩌면 살결이 그렇게 야들야들할까?”
　표사장은 담뱃불을 붙여준 뒤 한 손으로 기문숙의 가슴에 송송이 맺힌 땀을 쓸어내리며 말했다.
　“조금 쉬었다 샤워하고 집으로 가지. 백사장과 조회장이 기다릴 테니…… 가서 한판 붙자구.”
　표준범은 그 일을 생각만 해도 짜릿한 긴장감을 느끼는 듯했다. 그는 이를 악문 입술을 벌려 보였다. 양팔에는 힘까지 꽉 주고 있었다.

"지금 아주 기분 좋아요. 이대로 한 시간만 있고 싶어요."

기문숙은 널브러진 채 사지를 제멋대로 팽개치고 눈을 지긋이 감고 있었다. 남자 앞에 발가벗은 몸을 멋대로 내던진 걸 보면 어지간히 기력이 쇠진해진 모양이었다.

그들은 사우나탕에서 서너 시간을 보낸 뒤 집으로 돌아왔다.

표사장의 응접실에서는 마침내 네 사람의 고스톱판이 벌어졌다. 세 남자와 한 여자의 불꽃 튀는 화투 전쟁이 시작된 것이다.

처음에는 좀처럼 승부가 나지 않았다. 이런 판을 여러 번 벌여 보았지만 단골 손님은 조회장이었다. 그러나 이날은 조회장도 봉이 되기가 싫었던 모양이었다.

"이렇게 하다가는 몇 달을 해도 결판이 안 나겠으니 점수를 올립시다."

기문숙이 답답했던지 먼저 제의를 했다.

"판돈 올리자는 사람이 원래 잃는 법이야."

백사장이 웃으며 말했다.

"점당 한 장으로 하지."

조회장도 거들었다. 한 장이란 최소 단위의 수표 한 장을 말하는 것이었다. 그들의 고스톱판에는 언제나 현찰 따위는 없었다. 최소한의 수표 단위인 10만원짜리부터 시작되었다. 한 점에 수표의 절반, 즉 5만원이 그들이 쓰는 보통 단위였다.

"좋아. 우리 장마담 말대로 하지. 까짓 것 장마담이 다 따면 내 마누라로 삼아 버리면 될 것 아냐."

"누구 맘대로?"

조회장이 빙긋 웃었다.

이렇게 해서 점당 한 장이 되자, 고스톱판은 열이 오르기 시작했다.

"기본 나야 겨우 90이구먼……."

백사장이 조금씩 따기 시작했다. 역시 예상대로 조회장이 슬슬 잃어갔다.

시간이 갈수록 다른 세 사람 앞에 조회장 수표가 쌓였다.

고스톱판은 대낮에 시작했으나 밤 늦도록 끝날 줄을 몰랐다.

영주댁과 꼭지가 저녁밥을 응접실로 날라다 주었다. 밥상과 술상을 옆에 차려 놓고 광을 팔고 쉬는 사람이 교대로 밥을 먹었다. 조회장이 맨 나중에 먹는 둥 마는 둥하며 저녁 식사를 끝냈다.

조회장이 3천만원 이상은 족히 잃었을 무렵, 성희가 돌아왔다.

성희는 술에 취해 두어 발 걷다가 한 번씩 비틀비틀하며 거실로 들어섰다.

"애 꼭지야, 또 이거야?"

성희가 손으로 화투치는 시늉을 해보였다.

꼭지가 고개를 끄덕끄덕했다.

"저긴 뭐야?"

운전기사 박씨가 거처하는 방을 가리키며 물었다. 거기서도 백사장과 조회장의 기사, 박씨 등 세 사람이 주인들처럼 고스톱을 치고 있었다.

288

"저기서도 이거냐?"

표성희가 역시 화투치는 시늉을 해보였다. 꼭지가 눈치를 슬금슬금 보며 고개를 끄덕였다. 마치 자기가 무언가를 잘못하고 있는 것 같은 겁먹은 표정이었다.

표성희의 표정이 차츰 분노로 일그러졌다. 이런 모습을 한두 번 본 것은 아니지만 오늘은 참을 수 없다는 표정이었다. 알콜 기운이 그녀의 이런 결심을 북돋워준 듯했다.

"이걸 그냥 두지 않을 거야. 허구헌날 날이 새나 해가 지나 노름판이니……."

표성희가 핸드백을 거실 바닥에 거세게 팽개쳐 버리고 응접실 문을 확 열어젖혔다.

성희의 거센 행동에도 방안의 네 사람은 꼼짝하지 않았다. 누가 방문을 여는지조차 모른 채 화투판에만 열중했다.

"이것 봐욧!"

성희가 약간 혀 꼬부라진 소리로 고함을 쳤다. 그때야 모두 성희가 들어와 있다는 것을 의식했다.

"성희구나. 오랜만이야."

기문숙이 먼저 인사를 웃어 보였다.

"한 사람이 빠졌군. 여자가 한 사람 빠졌어. 자기들이 죽였으니까 빠질밖에 없지."

성희가 혀 곧은 발음으로 빈정대자, 금방 사태를 파악한 표 사장이 일어서며 말했다.

"애 성희야, 네 방에 가서 자거라."

"자라구요? 홍, 이런 구경거리를 놔두고 나보고 가서 자라는 거예요? 엄마 쫓아내고 맘대로 판 벌일 줄 알았죠? 잔소

리할 사람 없어 좋을 줄 알았죠? 집에까지 꾼들을 모셔 와
세상 좀먹는 일을 밤새워 해도 아무도 안 말릴 줄 알았죠?
천만에요. 이 표성희가 가만 안 있어요. 이 성희가 오영자의
딸이란 말이에요. 아버지가 쫓아낸 오영자 여사의 딸이란
말예요. 이게 다 뭐하는 짓이에요!"

표성희가 방바닥의 화투판을 뒤집어 버렸다. 그리고 네 곳
에 쌓여 있던 수십 장의 수표를 집어서 응접실 탁자 위와 땅
바닥에 흩어 버렸다. 옆에 있던 술상도 발로 걷어차 버렸다.
누가 말릴 사이도 없이 순식간에 일어난 일이었다. 화투판은
그야말로 난장판이 되어 버렸다.

"이게 미쳤어!"

표사장의 얼굴이 벌겋게 달아오르더니 마침내 성희의 뺨을
휘갈겼다.

"그래요, 난 미쳤어요. 미쳤단 말이에욧. 안 미친 사람이 어
디 있어요?"

성희는 뺨을 맞자, 이번엔 총 맞은 멧돼지처럼 더욱 날뛰기
시작했다.

밖에 있던 영주댁과 꼭지가 뛰어들어왔다.

"아가씨, 왜 이러세요. 참아요."

영주댁이 성희의 허리를 쓸어안고 꼭지가 팔을 잡아당기며
밖으로 끌고 나갔다.

"이거 놔요. 내 발로 나갈 거예요."

성희가 말리는 사람들을 뿌리치고 거실로 나왔다.

그런 소동이 일어나자, 방안에서 고스톱판을 벌이고 있던
기사들도 거실로 나와 죄지은 사람들처럼 고개를 숙이고 서

있었다.

"미스터 박."

성희가 그냥 2층으로 가려다가 박기사를 불렀다.

"예?"

박기사가 겁먹은 눈으로 쳐다보았다.

"내 차 길가에 있으니까 닦아서 차고에 좀 넣어요. 알았어
요?"

"예, 예."

박기사가 밖으로 나가자, 성희는 비틀비틀 2층 계단을 올라
가며 노래를 부르기 시작했다.

"신고산이 우르르……."

이튿날 아침 성희는 자기가 어제 무슨 짓을 했느냐는 듯 말
짱한 정신으로 아버지 앞에 나타났다. 밤 늦게까지 고스톱판
을 벌였던 표사장도 어느새 일어나 몸 단장을 끝낸 후 거실
안락의자에 깊숙이 앉아 텔레비전을 보고 있었다.

"아빠."

아버지의 단정한 모습에 약간 망설이던 성희가 결심을 한
듯 입을 열었다. 표사장은 대답 대신 성희를 물끄러미 쳐다보
았다. 무슨 말이든 들어줄 테니 해보란 표정이었다.

"아빠, 나 부탁이 있어요."

뱃심 좋고 거리낌없는 표성희도 뭔가 좀 쑥스러운 데가 있
는 것 같았다.

"부탁? 얼마냐? 액수나 말해."

표사장은 뻔한 부탁 아니냐는 투였다.

"아빠? 내가 뭐 입만 열면 돈 달라는 앤 줄 아세요. 돈 같은

건 나도 좀 있어요."

"그럼 뭐냐? 시집이라도 갈래?"

표사장이 별일 다 봤다는 듯 말했다.

"예."

뜻밖의 대답이었다.

"뭐라고?"

무심코 듣던 표사장이 자세를 고쳐 앉으며 성희를 정면으로 쳐다보았다.

"너 지금 뭐라고 했냐?"

"예라고 했어요. 뭐 잘못되었어요?"

"시집 간다고 하지 않았어?"

"예, 갈 거예요. 오늘 당장."

"뭐라고?"

이번에는 표사장이 벌떡 일어섰다.

"저 오늘 결혼식 올릴 작정이에요. 바쁘시더라도 아버지니까 참석해 주시겠지요? 정 바쁘시면 안 오셔도 돼요."

성희가 될 수 있는 대로 감정을 뺀 채 또박또박 말했다.

"뭐라고? 너 거기 좀 앉아라."

표사장은 성희의 얼굴을 이곳저곳 뜯어보면서 차분히 말했다. 뭐가 좀 어떻게 된 것이 아니냐는 표정이었다.

"자총지종을 이야기해 봐라."

"자총지종이 아니라 자초지종이에요."

"어쨌든 첨부터 얘기해 봐라. 그래, 상대는 어떤 녀석이야?"

"아빠도 잘 아는 혁태……."

"뭐야? 그놈은 안 돼!"

292

표사장이 두 주먹을 불끈 쥐고 거실 바닥을 구르면서 소리쳤다.

"세상 어느 머저리 병신하고 결혼해도 나 아뭇 소리 않을 거야. 그치만 그 혁태란 놈은 안 돼. 그놈하고 결혼하려거든 나부터 죽여라."

표사장이 너무 강한 반대를 하는 바람에 이번에는 성희가 눈이 둥그래졌다. 아버지가 왜 혁태에 대해 저렇게 거부 반응이 심할까? 평소에 아버지가 정혁태를 대하는 태도를 보면 좋아하는 것 같지는 않았다. 그렇다고 저렇게 원수처럼 싫어하는 것 같지도 않았던 것이다.

"왜 안 돼요? 혁태가 어때서요? 우린 부자니까 부잣집 사위 같은 건 필요 없잖아요. 혁태는 고아나 다름없는 혼잣몸이에요. 내가 우리 집에 데리고 와서 살 수도 있어요. 병신도 아니고, 이목구비가 미남은 아니지만 선명하고……."

"무슨 소리를 해도 그 녀석은 절대로 안 돼. 하나밖에 없는 내 딸을 그런 녀석한테 맡겨서 일생을 망치게 할 수는 없어. 그 녀석은 자기 일도 추스릴 줄 모르는 못난이야. 사내구실도 제대로 못 할 놈이야. 그렇게 용맹도 없고 지혜도 없는 놈은 첨 봤어. 그놈과 결혼한 사람은 틀림없이 불행하게 돼. 우선 그 녀석의 눈을 좀 봐. 뱁새 눈처럼 작고 음흉해서 범죄인 스타일이야. 귓바퀴를 좀 봐. 살이 하나도 없어 평생 쪽박 찰 행색이야. 무엇이 부족해서 그런 놈하고 결혼을 한단 말이야? 금지옥약 길러서……."

"금지옥엽……."

성희는 야단을 맞으면서도 어울리지 않게 단어 정정을 했다.

"옥엽인지 옥약인지 모르지만, 하여튼 내가 너를 어떻게 길렀는데 그런 놈한테 훌쩍 던져 버린단 말이야! 안 돼!"

"아빠가 혁태를 미워하는 것엔 진짜 원인이 거기 있는 것이 아니죠?"

"뭐라고?"

"정혁태씨가 그 여자의 보이프렌드였다는 사실 때문이죠? 아빤 비겁해요."

그 여자란 물론 죽은 김명주를 말하는 것이다.

"저게 죽으려고 환장을 했나?"

표사장이 뛰어와 성희의 뺨을 거세게 때렸다.

"이년이 못 하는 소리가 없어. 죽어라! 이년, 죽어 없어져라."

"사장님, 참으셔요."

표사장이 홍분해서 성희를 마구 때리자, 영주댁이며 박기사가 뛰어나와 말렸다. 영주댁한테 팔을 잡혀 나가면서 성희는 소리쳤다.

"오늘 오후 2시예요. 정릉에 있는 대한각이란 음식집에서요. 거기서 식을 올릴 테니 기억하세요."

성희는 또록도록한 목소리로 그렇게 말하면서 거실을 나갔다.

32
희한한 결혼식

정릉 골짜기에서 유원지 쪽으로 조금 올라가면 왼쪽 숲을 뒤로 끼고 아담한 한식 건물이 한 채 서 있었다. 입구에는 한식 전문 대한각이란 간판이 붙어 있었다.

추경감과 강형사는 몇 번 문밖을 기웃거리다가 안으로 들어섰다. 결혼식장치고는 너무나 조용하고 한산했기 때문에 혹시 잘못 찾아온 것이 아닌가 하고 머뭇거린 것이다.

마당에 들어섰으나 역시 조용했다.

"어디서 오셨나요?"

심부름하는 총각으로 보이는 소년이 기웃거리는 두 사람을 보고 물었다. 시골 복덕방 할아버지 같은 추경감과 바싹 말라 볼품 없어 보이는 강형사가 기웃거리며 다니니까 이상하게 보였던 모양이다.

더구나 강형사는 어울리지 않게 조그만 부케까지 들고 있었다.

"저어, 여기 결혼식이……."

강형사가 머리를 긁적이며 물었다.

"결혼식요? 여기서 무슨 결혼식을 해요? 이상한 사람들 다 보겠네."

소년이 대뜸 화를 냈다. 그때였다. 방문 한쪽이 열리고 누군 가 내다보았다.

성희였다.

"오오, 표성희씨."

강형사가 반갑게 인사를 하며 그 방으로 들어갔다. 추경감 도 엉거주춤 뒤를 따라 들어갔다.

거기엔 표성희와 정혁태가 문 쪽으로 나란히 앉아 있고 여 남은 명의 젊은 남녀가 함께 있었다. 그 속에서 추경감은 얼른 표사장과 오영자씨, 즉 표성희의 생모 모습을 발견할 수가 있 었다.

"결혼을 축하합니다."

강형사가 정중하게 말하면서 부케를 성희에게 건네주었다.

"표사장님, 축하드립니다."

추경감도 정중하게 표준범에게 허리를 굽혀 보이며 인사했 다. 그러면서도 추경감은 참 별난 결혼식 다 보는구나 싶었다. 돈 많은 사람들은 요즘 결혼식을 이렇게 하는 것이 유행인지 도 모른다고 추경감은 생각했다.

표사장은 뜻밖의 방문객인 추경감이나 강형사 같은 사람은 안중에도 없는 듯 화가 잔뜩 난 얼굴이었다.

"그래, 집어치우고 나가지 못하겠단 말이지?"

표사장이 표성희를 향해 볼멘 소리로 말했다.

"우리는 누가 뭐래도 지금부터는 부부예요. 곧 혼인신고를 할 거예요."

표성희가 쳐다보지도 않고 대답했다.

"이게 모두 당신 때문이야. 집구석이 싫어서 남편, 딸 버리고 집 나갔으면 그만이지, 왜 이 따위 짓까지 꾸미느냐 말이야? 당신, 전생에 나하고 무슨 원수 졌어?"

표사장이 오영자한테 퍼붓는 말이었다. 오영자는 아무런 대꾸 없이 고개만 숙이고 있었다.

"아빠, 엄마만 자꾸 나무라지 마셔요. 이 일은 전적으로 내가 꾸민 거예요. 꼭 호화로운 예식장에서 웨딩 마치 올려야만 결혼식인가요? 엄만 영문도 모르고 내 전화 받고 아침에 오셨단 말예요."

성희가 목에 핏줄을 세우면서 악을 쓰듯 말했다.

"자, 그럼……."

그런 모습을 잠깐 지켜보고 있던 추경감은 강형사의 옆구리를 쿡쿡 찌르면서 밖으로 나왔다. 그들이 나가는 것을 보면서도 인사하는 사람이 아무도 없었다.

"참, 별꼴 다 보겠군. 결혼식에 수없이 다녔지만 저런 건 처음 보았어. 그래, 강형사는 저들이 결혼한다는 것을 어떻게 알았지?"

정릉 비탈길을 걸어 내려오며 추경감이 물었다.

"정혁태 동태를 맡고 있는 전형사가 귀띔을 하더군요. 참, 기묘한 결혼식도 다 보겠군요."

"그나저나 표준범과 기문숙, 백인호 등이 꾸미던 일은 어떻게 되었어?"

"이리까지 백인호를 미행했던 팀들이 보고를 드렸을 텐데
요……."

"그 뒤에 어떻게 됐지?"

"아직 특별한 사항은 없어요. 김쾌진은 생명의 위협 같은
건 느끼지 않는가봐요. 외부 접촉이 끊겨 있으니까요."

"그 정신병원인지 기도원인지 하는 곳은 감시를 안 해도 되
는 거야?"

"그건 현지 경찰서에서 알아서 할 거라고 하던데요."

"언제쯤 디데이를 잡을 것인지 잘 생각해 봐."

추경감이 여기까지 말을 하고는 갑자기 우뚝 멈추어 섰다.

"아니?"

강형사도 덩달아 멈추면서 추경감의 얼굴을 쳐다보았다. 추
경감은 길 옆에 있는 노점상을 쳐다보면서 어린애 같은 미소
를 지었다.

"우리, 저기 가서 떡볶이 좀 먹고 가지?"

추경감이 유치원 어린이처럼 티없는 웃음을 얼굴에 가득 담
았다.

"예? 경감님두 참……."

강형사도 싱겁게 웃으며 추경감을 따라 떡볶이 노점상 아주
머니 앞으로 갔다.

두 사람은 좁디좁은 나무 의자에 엉덩짝을 겨우 붙이고 앉
아 떡볶이를 천원어치 주문해서 먹었다. 꼬마 녀석들이 별꼴
다 본다는 듯 입을 삐죽거리며 지나갔다.

"표사장네 집은 참으로 묘한 식구들이 모여 사는 집이란 말
야."

추경감이 떡볶이를 다 먹자 입맛을 두어 번 쩝쩝 다신 뒤 담배를 꺼내 물며 한 말이었다. 불이 켜지지 않는 고물 지포 라이터를 또 꺼내서 철거덕거렸다. 강형사는 불을 켜려 들지 않고 말만 받았다.

"무식한 사람이 갑자기 떼돈을 벌면 어떻게 되는가를 잘 보 여준 본보기지요. 물질적인 풍요에 정신 세계가 따라가지 못하면 누구나 절름발이 인생이 되는 것 아닙니까? 욕심만 가득 차고, 상류사회가 모두 자기 발 아래 놓인 것처럼 보 이지만 하나도 자기 마음대로 되지는 않고……. 옛날 봉건 사회 때 상인이나 중인들이 양반 족보를 산 뒤 얼마나 많은 희극을 연출했습니까? 그러나 현대의 양반 족보인 황금은 희극이 아니라 비극을 연출하지요. 때로는 엄청난 살인까지 불러일으키지 않습니까? 그것은 어느 한 개인, 예를 들어 표준범이란 개인에게만 해당되는 얘기가 아니지요. 60년대 이후 우리의 산업 사회가 가져온 불균형의 결과라고 봐야 할 겁니다. 물질 문명과 정신 문명의 불균형을 우리는 표사 장네 집에서 뼈 아프게 보고 있는 거라고나 할까요."

"아니, 강형사는 문학 청년이라고 하더니 철학 공부도 했 나? 제법이야. 형사치고는 머리에 먹물이 너무 많이 든 것 같아. 후후후, 농담이야."

추경감은 강형사를 비꼬는 도가 너무 지나쳤나 싶어 조심을 했다.

"죄송합니다. 제가 무슨 쥐뿔이나 아는 게 있습니까? 허허 허……."

강형사는 뒤통수를 긁적이며 멋적게 웃었다.

"그나저나 김명주, 최병호 피살 사건은 이제 결말을 낼 때
가 된 것 같은데……. 내일 수사회의를 좀 열지."
추경감은 갑자기 근엄한 표정을 지으며 자리에서 일어섰다.

33
거부 딸의 신혼 여행

표성희와 정혁태는 이천에 있는 조그만 온천 호텔에서 신혼 첫날 밤을 보냈다. 둘이서 한 침대를 쓴 것이 이번만은 아니었다. 장소가 서울에서 멀리 떨어진 곳도 아니었다. 하다못해 그 흔한 제주도 신혼 여행도 아니었지만 그들은 제법 감회가 깊었다.

"이봐, 자기 취직이라도 할 생각 없어요?"

호텔의 조그만 식당에서 저녁을 먹고 난 성희가 커피잔을 든 채 물었다.

"부잣집 외동딸하고 결혼한 놈이 미쳤다고 취직을 하니?"

"아니, 얘 좀 봐?"

성희는 기가 막힌 표정을 하며 갑자기 말투까지 바뀌었다.

"평생을 놀고 먹어도 다 못 쓸 유산을 받을 텐데, 무엇 때문에 그 고생스런 취직을 한단 말야?"

"정형, 그거 진정으로 하는 말이야?"

"그럼, 그렇지 않으면 고미화하고 결혼했지. 고미화도 젊은 나이지만 나 취직 안 해도 될 만큼 재물 모아둔 여자야."

"아니……?"

성희는 너무 어처구니가 없어 더 이상 말이 나오지 않는 모양이었다. 들고 있던 스푼을 탁자에 떨어뜨리기까지 했다. 결혼하자마자 사람이 저렇게 변할 수 있을까? 그럼 자기를 사랑해서 결혼한 것이 아니라 순전히 재산 때문에 결혼을 했단 말인가? 순식간에 성희의 머리에는 온갖 생각이 다 스쳐갔다.

표성희의 대단히 실망한 얼굴과는 달리 정혁태는 빙글빙글 웃다가 말을 계속했다.

"이 바보야, 내가 그런 사람처럼 보여? 나를 하루 이틀 사귀었어? 나, 성희 아버지 재산 손톱만큼도 탐내는 놈 아니야. 이 정혁태 그렇게 치사한 놈 아니란 말야. 겉으로 보기에 우유부단하고 패기 없고, 약은 대학생처럼 보이지만 속마음은 그렇지가 않아. 사실 난 대학생 중에 아무 유형에도 속하지 않는 놈이었지. 비뚤어져 가는 세상을 혼자서 다 바로잡는다고 날뛰며 학생 운동에 앞장서는 그런 열렬한 정의파도 아니고, 학우들이야 경찰서에 잡혀 가든 말든 A학점이나 따서 장차 좋은 자리 취직하겠다고 옆도 돌보지 않는 그런 실속파 학생도 아니란 말야. 그렇다고 장래가 보장되어 맘 놓고 멋이나 부리며 여학생들 데리고 건들거리는 그런 낭만파도 아니지."

"그럼, 자기는 뭐야?"

성희가 그제사 다시 웃음을 되찾은 얼굴로 물었다.

"난 무기력파. 혼자 끙끙거리며 자기가 자기를 미워하는 그런 유형이지. 피나게 노력해서 장래를 개척하겠다는 것도 아니고, 모든 걸 포기하고 닥치는 대로 사는 형도 아니야. 그저 혼자 이것저것 고민하면서 아무 결단도 못 내리고 외부의 힘에 끌려다니며, 내가 왜 이럴까 하고 자탄하는 그런 학생이라구. 하지만 이젠 달라. 난 지금부터 빈털터리 낭만파 표성회를 책임진 그녀의 남편이야. 지금부터는 우리 힘으로 우리 인생을 책임지는 거지."

혁태가 성희의 볼을 손으로 살짝 꼬집으며 결심을 내보였다.

"어쩜 나하고 꼭 같은 생각을 하고 있었지? 내가 역시 남편감을 고르긴 잘 고른 모양이에요. 우리 두 사람을 다른 사람들은 이해해 주지 않아요. 그냥 아버지 돈만 믿고 건들거리며 인생을 쉽게 사는 별볼일 없는 애들로만 본단 말야. 난 사실 아버지의 돈에 대해 심각하게 여러 번 생각해 봤어. 그러다가 얼마 전 뉴스위크에 실린 기사 한 토막을 보고 내 인생을 다시 정리해야 한다는 생각이 들었어요."

"무슨 기사가 났길래?"

"보통 사람들은 돈 많은 사람들이 무슨 걱정이 있으랴 하고 부자나 그 상속자들을 동경하지만, 사실은 그렇지 않다는 거야. 부자들이 안고 있는 갖가지 고뇌를 애플루엔자 (Affluenza)라고 한다는데, 이 병은 어느 재벌 상속녀의 고민에 잘 나타나 있었어요. 트레이시게라는 스물한 살 난 이 딸은 매일 수억원이나 하는 롤스로이스 차를 타고 이곳저곳을 여행하며 밤마다 호화판 파티로 세월을 보냈대요. 이제 서른여섯 살이 된 그녀는 자기 인생을 회고하면서 행복하기

는커녕 돈에 짓눌려 숨도 못 쉴 판이었다고 했대요. 유산은
나에게 죄책감, 고독, 무기력을 안겨주었을 뿐이라고 말했
다는 거죠. 유모나 하인들에게 떠받들리어 마음대로 돈을
펑펑 쓰면서 자란 사람들은 정서적으로나 지적으로 성장할
수 없다는 거예요. 이런 사람은 마치 황금 감옥에 갇혀서
인생을 보내는 죄수의 심정이라고 말한대요. 아이 끔찍해.
나도 아버지 재산을 물려받는다고 생각하면 그런 황금 감옥
이 먼저 생각나요. 혁태씨, 우린 이제 우리 힘으로 다시 시
작하는 거예요."

"야, 나 똑똑한 마누라 얻었다."

혁태는 누가 보는 것도 의식하지 않고 성희의 입술에 키스
를 했다.

"우리, 부산 어머니 모시고 와서 같이 살자."

성희가 조용하고 또렷한 목소리로 말했다.

"그거 좋은 생각이야. 아기자기한 가정을 지금부터 만드는
거야."

"정말?"

두 사람은 그날 밤 그들의 장래를 설계하느라 제대로 자지
도 못했다.

"난 우리 아빠를 미워하지 않아. 어떻게 하면 엄마와 다시
합칠 수 있을까 하고 온갖 노력을 다 해봤어. 아빠가 김명
주 같은 여우를 만나지 않았다면 그렇게 엄마를 미워하진
않았을 거야. 이제 김명주는 없으니까 어떻게 해서든지 아
빠 마음을 돌려놔야 해. 난 아빠한테 충격을 주기 위해 내
가 최병호를 죽였다고 거짓 자백까지 해봤어. 그렇지만 아

빠의 마음에 조그만 파도도 일으키지 못했어."

성희는 엄마와 빗나간 그의 아버지를 생각하면 답답한 모양
이었다. 정혁태는 표성희의 그런 푸념을 조용히 그녀의 손을
잡은 채 들어주었다.

그들은 이틀 동안의 초라한 신혼 여행을 마친 뒤 명일동의
허름한 단독 주택에 방 두 칸을 얻어 신혼 살림을 차렸다. 방
두 칸을 얻은 것은 부산 있는 그녀의 어머니 오영자를 모시고
왔기 때문이었다. 뜻밖에도 어머니는 거절하지 않고 그들의
신혼 집으로 들어왔다. 부산에 있던 전세 가게를 청산하여 그
돈도 성희한테 다 가져다 주었다.

34
안개 도시의 종말

두 시간 이상이나 계속된 수사회의는 거의 결론에 도달했다. 모든 집행을 추경감한테로 떠넘겼다.

"자아, 지금부터 할 일을 잘 챙겨보자."

추경감은 손수건으로 흐르는 땀을 연방 훔쳐내면서 메모를 하기 시작했다.

"우선 그 사람을 연행해 와야 하지 않을까요?"

"한 사람뿐 아니지. 두 사람은 죽었으니 참고인이 될 수가 없고, 세 명을 연행해 와야겠군. 자, 우선 거기부터 가지."

메모를 마친 추경감이 수첩을 안쪽 호주머니에 소중히 넣은 뒤 자리에서 일어섰다.

"지금 집이 아니고 사무실에 있다고 했어요. 미행하던 박형사가 조금 전에 연락해 왔죠."

"그럼 북창동으로 가지. 나머지는 다른 사람들이 벌써 연행해 오고 있을 거야."

306

추경감과 강형사는 북창동 8층짜리 건물로 표준범 사장을 찾아갔다.

"어서 오십시오. 이거 추경감님, 오랜만입니다."

표사장은 혼자 사장실에 있다가 뜻밖에도 반갑게 두 사람을 맞아주었다.

"전번 결혼식 때는 미안했습니다. 이거……."

표사장이 겸연쩍어하는 모습을 두 사람은 처음 보았다.

"그래, 따님은 신혼 재미가 좋으십니까?"

"참, 자식이란 품안에 있을 때 내 자식이란 말이 있잖습니까? 머리가 굵어지니까 마음대로 안 되더군요. 난 이제 포기했습니다. 글쎄 좋은 집 놔두고 변두리에 나가 셋방살이를 한다니, 이거 원 참……."

그러나 표사장의 태도는 그것도 체념할 수밖에 없지 않느냐는 태도였다.

추경감은 표사장이 조금 변한 데가 있다고 생각했다.

"표사장님, 다름이 아니라……."

추경감이 담배를 물고 잘 켜지지 않는 지포 라이터를 철커덕거리면서 말을 이었다.

"다름이 아니라 경찰서까지 좀 같이 가주셔야겠습니다."

"경찰서까지요? 왜요?"

표사장은 몹시 당황한 표정이었다.

"글쎄, 아직 이건 혐의에 불과합니다만, 표사장님을 김명주 살해 용의자로 체포 심문하고자 합니다."

추경감은 평소의 그답지 않게 칼날같이 날카로운 목소리로 찬바람이 일도록 냉혹하게 말했다.

"아니, 뭐라구요? 내가 우리 집사람을 죽였다고요? 이 사람들 이거 큰일낼 사람들이네. 가만, 내 시경국장한테 전화 좀 해야겠어……."

표사장이 전화기를 집어 들며 얼굴이 붉으락푸르락했다. 그러나 수화기를 든 손이 가늘게 떨리고 있는 것을 추경감은 놓치지 않고 보았다.

"전화하십시오. 국장님께 직접 자백을 하시겠다면야……. 저희들은 국장님의 지시를 받고 왔으니까요."

추경감의 말을 들은 표사장은 힘없이 수화기를 놓았다.

"그래, 내가 그 사람을 죽였다니 어디 증거를 대보시오. 당신들 말대로 나는 그 사람이 죽기 전날 밤 12시께 독일 바이어를 만나러 M호텔로 갔어요. 그때 우리 집사람은 거실에서 날 전송해 주었단 말입니다. 그리고 그 사람이 죽은 것은 새벽 2시에서 4시 사이가 아닙니까? 이건 당신들이 다 확인한 겁니다. 나는 그날 밤 12시 이후 이리에서 그 사람이 죽었다는 연락을 받을 때까지 집에 들어간 일이 없단 말입니다. 그건 알리바리가 다 있는 것 아니오?"

"알리바리가 아니고 알리바이."

강형사가 고쳐주었다.

"어쨌든 그건 당신들이 다 확인한 것 아니오? 그런데 멀리 떨어져 있는 내가 리모트콘트롤로 사람을 죽였단 말입니까? 말이나 되는 소리요?"

표사장이 더욱 목청을 높여 떠들었다.

"그래요. 리모트콘트롤로 당신은 살인을 했습니다. 당신은 그날 밤 집에 없었던 것이 확실해요. 당신은 저녁을 먹은

뒤 텔레비전 연속극을 보면서 한참 즐긴 뒤 김명주와 함께
그 호화판 목욕탕으로 갔지요. 거기서 두 사람은 샤워를 한
뒤 사랑의 향연을 펴기 위해 두 사람 다 벌거숭이 채로 마
주 앉아 양주 한 잔씩을 마셨지요. 열기가 가슴에서 목줄기
를 타고 뺨으로 서서히 퍼지면서 당신들은 서로 어울려 육
체의 향연을 즐겼지요. 그러나 사랑의 행위가 채 끝나기도
전에 김명주는 쏟아지는 잠을 참을 수 없어 그 자리에서 잠
이 들어 버렸지요. 당신이 양주 잔에 미리 강력한 수면제를
넣어 두었기 때문이죠. 시체 부검에서 알콜과 수면제가 검
출된 건 그 때문이오."
"후후후, 과연 엉터리 형사구먼. 그래, 그랬다고 치고 그 다
음엔……."
표준범은 말은 그렇게 해도 얼굴은 차차 겁을 먹는 것 같았
다.
"당신은 잠든 김명주에게 수영복을 입힌 뒤, 벌거벗고 있었
으니 수영복 입히는 건 쉬웠겠지. 수영복을 입은 채 세상
모르고 자는 김명주를 안고 정원의 풀로 갔지요. 물이 없는
풀 바닥에 김명주를 내려놓은 뒤……."
"거짓말!"
표준범이 갑자기 소리를 치며 벌떡 일어섰다.
"그날 낮 풀장에 물이 없었다고 증언한 건 죽은 최병홉니
다. 맨 바닥에 김명주를 벽에 기댄 자세로 앉혀 놓은 뒤 풀
장 수도관 레버를 틀자 서서히 물이 차기 시작하는 것을 확
인한 당신은 악마처럼 회심의 미소를 지으며 집안 식구들이
다 알도록 일부러 떠들며 집을 나갔지요. 그것이 밤 12시께

였구요. 풀장에는 당신이 떠난 뒤 계속 물이 차기 시작했고, 정확히 두 시간 반이 지난 새벽 2시 30분께는 물이 앉아 있는 김명주의 코에까지 닿았지요. 자고 있는 사람은 마침내 물에 빠져 헤어나지 못한 사람과 꼭 같이 숨이 막혀 죽게된 거죠. 그 풀장은 물이 만 탱크가 되면 저절로 수도관이 닫히는 장치가 있더군요. 보통 집의 물 탱크나 양변기의 원리와 같은 겁니다. 이렇게 해서 감쪽같이 김명주는 비명횡사한 것 아닙니까. 어때요, 할 말 있어요?"

"증거를 대봐요, 증거를……."

표준범은 조금 전과는 달리 떨리는 목소리로 비명처럼 소리쳤다.

"당신은 평소에 풀장의 수도물 손잡이를 한 번도 쓰지 않았어. 언제나 최병호나 영주댁이 하는 일이었지. 그런데 거기서 당신의 지문이 발견되었단 말야. 그뿐 아니야. 당신은 평소에 수면제 같은 건 복용하지도 않는데 북창동 당신 회사 사무실 옆 약국에서 다량의 수면제를 사간 흔적도 찾아냈지. 그러나 그런 것보다 더 확실한 것은 최병호의 증언이야. 최병호는 죽고 없지만 그의 녹음은 아직 남아 있어. 그날 밤 12시께 당신이 풀장에서 벌거벗은 모습으로 들어오는 것을 그가 목격했지. 최병호가 당신을 협박한 것 중의 하나가 그것일 수도 있어."

추경감이 흥분해서 주먹을 흔들어 가며 설명했다.

"그러나 내가 뭣 때문에 그 사람을 죽인단 말이오?"

"그것까지 내 입으로 설명을 해달라는 거요? 좋아요. 말해주지요."

310

추경감은 채 피우지도 않은 담배를 그냥 비벼 끈 뒤 다시 새 담배를 꺼내 들고 지포 라이터를 철커덕거렸다.

추경감의 설명은 대강 다음과 같았다.

표준범은 가난한 집에서 배운 것 없이 자라났다. 결혼을 일찍 한 뒤에도 가난한 가정을 이루고 있었다. 비뚤어진 방면으로 머리가 발달한 그는 어느 오퍼상의 심부름꾼으로 들어갔다. 오퍼 관계 일을 배운 그는 주인 집의 탈세를 꼬투리 잡아 제법 큰 돈을 우려냈다. 그는 그것으로 독립해서 오퍼상을 차리고 부동산에 투자해 갑자기 막대한 돈을 손에 쥐게 되었다. 그의 오퍼상도 기막힌 사기 솜씨로 키워나가 막대한 이익을 올렸다.

빈한한 밑바닥에서 갑자기 상류사회로 뛰어든 표준범은 정신적인 균형을 잃고 마침내 엉뚱한 일들을 저지르기 시작했다. 방탕한 생활로 드디어 아내를 쫓아내고 신흥 부자의 딸인 젊고 아름다운 김명주와 결혼한 것이다.

그러나 젊고 발랄한 김명주가 무식하고 나이 많은 표준범에게 시집올 때는 그만한 이유가 있었다. 김명주의 아버지 김쾌진은 그 무렵 겉으로는 부자인 것 같았지만 사실은 빈털터리였다. 상당한 부동산이 있었지만 그건 모두 개발 제한에 묶여 개값이 되었기 때문이다.

김명주는 표사장의 재취로 들어온 뒤 무식한 표사장을 완전히 장악하려고 들었다. 그의 모든 재산을 관리하려고 들었을 뿐 아니라 방탕한 표사장을 숨도 제대로 못 쉬게 했다.

그러나 표사장은 기문숙이란 매력적인 새 여자한테 빠져 물불을 가리지 않게 되었다. 마침내 김명주가 보는 앞에서 공공연히 기문숙과 정사를 벌이기까지 했다.

김명주는 김명주대로 옛 애인인 최병호를 끌어들여 표사장으로 하여금 질투심을 유발시키고자 했다. 불에는 불로 대항하자는 것이었다. 그러나 표사장의 윤리관으로는 그것을 용납할 수 없었다. 날마다 풍파가 일어났다.

표준범은 이혼을 요구했다. 그러나 김명주는 막대한 재산을 요구했을 뿐 아니라 들어주지 않으면 기문숙과 표사장을 간통죄로 고소하겠다고 맞섰다. 궁지에 빠진 표준범은 해결책으로 김명주를 없앨 것을 결심했다.

기문숙은 기문숙대로 김명주와의 관계를 청산하라고 표준범을 죄어 왔다.

표준범은 그가 그 어느 것과도 바꿀 수 없는 딸 표성희를 생각했다.

성희는 성희대로 불만에 가득 차 있었다. 우선 새 엄마인 김명주를 엄마로 생각치 않았을 뿐 아니라 생모인 오영자와 결합하기를 강력히 요구해 왔다. 성희는 자기 뜻대로 안 되자 점점 빗나가기 시작했다.

표사장은 그것을 보고 있을 수가 없었다. 괴로웠다. 귀여운 딸을 괴로움의 늪에서 건져주고 싶은 부성애가 끓어올랐다.

그는 마침내 김명주를 없애야겠다는 결심을 하게 되었다. 치밀한 트릭을 생각했다. 그리고는 감쪽같이 김명주를 없앴다고 생각했다. 그러나 그 알리바이가 이렇게 쉽게 무너질 줄이야.

"하지만 그것 말고도 당신은 김명주를 죽일 동기가 있단 말입니다."

추경감이 이야기를 마치자, 강형사가 다시 입을 열었다.

"당신은 장인인 김쾌진의 개발 제한에 묶인 막대한 땅이 곧 해제되고 거기에 유락 시설이 들어선다는 정보를 기문숙으로부터 얻어 들었지. 그러나 김쾌진은 그 사실도 모르고 가난한 여생을 보내고 있었단 말야. 당신은 기문숙, 백인호 사장 등과 짜고 그것을 손아귀에 넣을 공작을 했지. 그러나 김명주가 당신의 하수인인 최병호로부터 이 사실을 알게 되었지. 김명주가 가만 있을 턱이 있나. 곧 아버지 김쾌진씨한테 알리고 땅을 챙기기 시작했지. 그 땅은 값이 솟아 이미 백억원도 넘고 있었단 말이야. 교묘한 수단으로 땅의 등기 이전을 서둘던 당신들은 낭패를 당한 것이지. 당신들은 모의 끝에 마침내 김쾌진 노인을 납치해서 악덕 인간들이 경영하는 무허가 기도원에 맡겨두었지. 멀쩡한 사람을 정신병자로 몰고 실종신고까지 했었단 말야. 당신들의 이런 은밀한 일을 심부름해 준 사람이 최병호 그 사람이야."

표준범은 아무 말 없이 입술을 지긋이 깨물고만 있었다.

"최병호를 당신이 잘못 알았어. 그 사람도 보통 건달이 아니지. 최병호는 되어 가는 꼴을 보고 있다가 이때가 바로 자기도 한 몫 잡을 차례라고 생각했단 말야. 당신한테 한 몫 내놓으라고 요구했지. 그것도 어마어마한 액수를 말야. 당신은 그의 협박을 받은 뒤에야 깜짝 놀랐지. 그 녀석을 그냥 심복으로만 생각한 것이 큰 잘못이었다는 걸 깨달았단 말야. 만약 자기 요구를 들어주지 않으면 김명주를 죽인 것까지 불겠다고 협박했지. 당신은 김명주처럼 최병호도 죽여 버리겠다고 협박을 했단 말야. 최병호가 당신이 범인이라고

몰래 경찰에 증언한 것도 그 때문이야. 자기의 생명이 위태
로워지니까 밀고를 한 것이지. 그러나 우리는 그것을 처음
엔 믿지 않았어. 모함일 수도 있으니까. 궁지에 **빠진** 당신은
마침내 이성을 잃고 무모하게 최병호를 골프채로 때려 죽이
는 범행을 저지르고 말았어."

"할 말 있어요?"

추경감이 나직이 말했다.

"할 말이 많지만 하지 않겠소. 한 가지 부탁이 있습니다."

표사장은 모든 걸 단념한 듯 담담히 말했다.

"우리 성희가 사는 셋방을 한번 보고 싶군요. 경찰서 가기
전에 그곳에 좀 들렀다 가면 안 되겠소? 개들 오손도손 사
는 것이 보고 싶군요."

그것은 진심인 것 같았다. 표준범의 눈에 물기가 어렸다.

"좋아요. 갑시다."

세 사람은 밖으로 나와 수사용 지프를 탔다. 강형사가 표사
장의 손목에 수갑을 채웠다.

그때 차내의 전화벨이 울렸다. 기문숙과 백인호 사장은 이
미 시경에 연행되었고, 기도원의 김쾌진을 구출해냈다는 전갈
이었다.

세 사람은 한참 뒤 명일동 산기슭 허름한 달동네 입구에 닿
았다. 강형사가 수갑을 풀었다.

"바로 저 집입니다. 내 운전수가 집을 알아둬서 몰래 와 봤
었지요."

표사장이 낡은 나무 대문 집을 가리켰다.

"우린 밖에 있을 테니 갔다 와요."

추경감이 부드럽게 말했다. 표사장은 쓸쓸히 웃으며 대문을
밀고 들어갔다.

"아무리 나쁜 사람이라도 자식을 향한 사랑만은 맹목적인
가 봐요."

강형사가 말했다.

"자식들은 어버이의 그 끝없는 사랑과 용서의 마음을 만분
의 일이라도 알까?"

추경감이 하늘을 쳐다보며 말했다. 10여 분이 지난 뒤 표사
장이 나왔다. 표성희와 오영자 여인이 뒤따라 나왔다. 모두가
밝은 표정이었다.

"마침 추경감이 너희들 집을 가르쳐 주더구나. 톡톡이 신세
를 졌어."

표사장이 추경감과 강형사를 손으로 가리키며 성희한테 설
명했다.

"고마워요. 우리를 열심히 미행하더니 편리한 데도 있군
요."

성희가 강형사한테 목례를 하며 말했다.

세 사람은 다시 차에 올랐다. 차에 오르자마자 강형사는 표
사장의 손목에 다시 수갑을 채웠다. 표사장의 표정은 조금 전
과는 달리 창백한 속에도 무언가 흐뭇한 모습이 엿보이는 것
같았다.

차는 강변도로를 달리기 시작했다. 강변도로 양쪽에는 짙은
안개가 끼고 있었다.

강 건너 멀리 보이는 거대한 도시 서울은 자애로운 어머니
처럼 모든 슬픔을 안개 속으로 감추고 있었다.

안개도시/이상우장편소설 　　　　　　값 10,000원

1996년 1월 25일 제1판제1쇄인쇄
1996년 1월 30일 제1판제1쇄발행

지은이　　이　　　상　　　우
펴낸이　　박　　　명　　　호

펴낸곳　　명　　　지　　　사

서울특별시　동대문구　장안동　369-1
등　　　록 : 1978.　6.　8.　제5-28호
전　　　화 : 243-6686 · FAX 249-1253
사 서 함 : 서울청량우체국사서함 제154호
대체구좌 : 010983-31-1742329

ISBN 89-7125-103-4 03810 　　　* 잘못된 책은 바꾸어 드립니다.

모두가 죽이고싶던 여자

이상우 사회추리소설

재벌가의 며느리가 된 노동운동의 기수는 왜 죽어야만 했는가?
이보다 더한 분노는 이제 없어야 한다. 이상우의 새로운 도전!

명지사

이상우 **추리소설**

컴퓨터 살인

날카롭고 풍자적인 펼치로
독자들을 사로잡는
저널리스트 작가
이상우의 문제
추리소설 !

명지사

金聖鍾

감정이 통하지 않는 非인간적 非理의 世界는 20세기 文明 社會의 가장 뚜렷한 특징으로 부각되고 있다. 非理의 世界에는 음모만이 그 기능을 발휘할 뿐이다. 음모는 음모를 낳고 음모 위에 군림한다.

長篇推理小説

Z의 秘密

호텔 15층에서 추락한 나체의 女人이 죽기 전에 모 일간지 홍기자에게 남긴 말은 「도오꾜!」 뒤이어 한강에서 발견된 남자 시체의 신원은 재일교포. 일본의 「赤軍派」, 서독의 「바더마인호프團」, 이탈리아의 「붉은 旅團」, 팔레스타인의 「검은 9월團」…… 세계의 도시 게릴라들이 한국에 모두 잠입했다. 암호명 Z의 비밀을 밝혀라!

長篇推理小説

피아노 殺人

밤마다 흐느끼듯 들려오는 쇼팽의 夜想曲 소리는 그녀의 죽음과 함께 사라졌다. 여름의 바닷가에서 중년의 사나이와 나이 어린 少女가 벌이는 애틋한 사랑의 종말은 무엇인가. 「피아노 소리가 시끄러워 사람을 죽였다」는 어느 살인범의 범행동기에서 힌트를 얻어 이 작품을 썼다는 作家의 말에서 우리는 그의 뛰어난 감각을 맛볼 수 있다.

● 섬뜩하리만큼 잔인한 살인,
집요하고 끈질긴 피해자와 수사관의 추적,
치밀한 구성과 뛰어난 상상력, 다양한 패턴,
기상천외한 사건의 종말 등 읽으면 읽을수록 흥미진진한
金聖鍾추리소설의 마력!

도서
출판 明知社